Prendre le taureau par les cornes

C000133195

Les changements organisationnels au sein des ONG

Publié par le
Conseil canadien pour la
coopération internationale

Données de catalogage avant publication (Canada)

     Kelleher, David

Prendre le taureau par les cornes : les changements organisationnels au sein des ONG

Publ. aussi en anglais sous le titre: Grabbing the tiger by the tail.

ISBN 1-896622-02-X

1. Changement organisationnel—Gestion. 2. Organisations non-gouvernementales.
I. McLaren, Katherine I. II. Bisson, Ronald   III. Conseil canadien pour la coopération internationale IV. Titre

HD58.8.K4514 1995   658.4'06 C95-900739-3

Les auteurs

David Kelleher vit à Sainte-Anne-de-Prescott, en Ontario. Consultant depuis vingt-cinq ans auprès des organisations volontaires, gouvernementales et non gouvernementales, il a été associé à toutes les étapes de l'apprentissage organisationnel. Il enseigne à temps partiel à Montréal, au département de sciences sociales appliquées de l'Université Concordia. Il a publié des livres et des articles sur l'apprentissage chez les cadres et au sein des organisations.

Kate McLaren a oeuvré vingt ans dans les ONG de développement international à titre d'éducatrice et de directrice de programme, au Canada et à l'étranger. Elle est associée chez *South House Exchange*, une petite société de consultants d'Ottawa spécialisée en développement organisationnel, en recherche et dans le domaine des droits de la personne.

Ronald Bisson est un consultant qui s'est spécialisé dans la gestion stratégique ainsi que dans la mise en valeur des capacités et l'amélioration des services auprès des agences gouvernementales, des organisations non gouvernementales et du secteur privé. Depuis vingt-cinq ans, il a accumulé des expériences comme bénévole et membre de C.A., comme chef du personnel et comme directeur général dans des organisations communautaires locales, provinciales et nationales. Il donne des conférences sur le comportement organisationnel à l'Université d'Ottawa.

Remerciements

Page couverture : Holly Kelleher
         Tom Dart, First Folio

Conception du texte et illustrations : Tom Dart, First Folio

Imprimé au Canada

Table des matières

Remerciements

Ce livre s'inspire des ateliers que les membres du Conseil canadien pour la coopération internationale (CCCI) ont suivis dans le cadre du programme intitulé *Prendre le taureau par les cornes (Grabbing the Tiger by the Tail).* Par leur discernement, leur créativité et leur engagement, ceux et celles qui ont participé à ce programme ont contribué à donner corps à un grand nombre d'idées sur lesquelles repose cet ouvrage. Nous souhaitons remercier les organisations participantes : Les Ami(e)s de la Terre, l'Association canadienne pour les Nations unies, l'Association québécoise des organismes de coopération internationale (AQOCI), Camrose International Institute, Carrefour canadien international, Carrefour Tiers-Monde, CAUSE Canada, Centre international MATCH, Centre de solidarité internationale, Comité de Solidarité Tiers-Monde/T.R., Conseil de l'Atlantique pour la coopération internationale, Conseil du Manitoba pour la coopération internationale, CREDIL, CUSO, CUSO-Québec, CUSO-Atlantic, Disabled Persons International, International Development & Refugee Foundation, Jesuit Centre for Social Faith and Justice, Jeunesse Canada Monde, Jeunesse du monde, Mennonite Central Committee Manitoba, Newfoundland Youth for Social Justice Network, Nous tous un soleil, Nova Scotia-Gambia Association, OXFAM-Canada, Pollution Probe, Primate's World Relief and Development Fund (Église anglicane du Canada), Projet Marquis, Réseau acadien pour la solidarité internationale, Réseau canadien de l'environnement, Save the Children Fund of British Columbia, Télévision Coopération internationale, Villages d'enfants SOS et World Accord.

Grâce aux discussions que nous avons suscitées pendant la rédaction, de nombreux collègues des ONG ont pu formuler des remarques et critiques constructives qui ont été des plus utiles puisqu'elles ont permis de préciser les idées que nous voulions communiquer. Leurs commentaires, ajoutés aux nombreuses discussions relancées au fil des ans avec collègues et amis des ONG, ont enrichi notre pensée de même que le texte final. Nous tenons à remercier ceux et celles qui ont participé à ces discussions : Marc Allain, Matthieu Brennan, Roger Clark, Lawrence Cumming, Jacquie Dale, Monique Dion, Tim Draimin, Carol Faulkner, Bill Gilsdorf, Bob Goodfellow, Franklyn Harvey, Jacques Lacarrière, Richard Marquardt, Christine Ouellette, Rose Potvin, Kendall Rust, John Saxby, Eva Schacherl, Carol Séguin-Kardish, Madga Seydegart, Carol Sissons, Rieky Stuart, Brian Tomlinson et Beth Woroniuk.

Nous sommes très reconnaissants aux organisations qui ont accepté que leur expérience serve pour les études de cas. Ces dernières étaient essentielles. Elles ont permis en effet d'ancrer l'analyse dans le concret, de mesurer nos concepts et nos cadres d'analyse à l'aune des difficultés et des défis que rencontrent la direction et le personnel en cherchant à réinventer leur organisation. Bien que chaque cas soit fondé sur des entrevues réalisées à tous les niveaux de l'organisation, la présentation et l'interprétation qui en sont faites sont la responsabilité des auteurs.

Qu'il nous soit permis de remercier plus particulièrement les animateurs et animatrices des ateliers *Prendre le taureau par le cornes* : Ronald bisson et Monique Dion qui ont animé les ateliers donnés en français au Québec, Ronald Bisson qui a animé les ateliers bilingues offerts dans la région atlantique; ainsi que Rieky Stuart et Hillary Van Welter qui ont travaillé avec David Kelleher à l'occasion des deux ateliers offerts en anglais.

Monique Dion a assuré le lien avec l'équipe du développement organisationnel du CCCI. Son énergie, sa créativité et ses bons conseils nous ont inspirés tout au long du projet *Prendre le taureau par les cornes*. Sans elle, ni le livre ni la cassette vidéo qui l'accompagne n'auraient vu le jour. Linda Brassard, qui a fourni le soutien administratif au CCCI et Micheline Laflamme, qui a traduit le texte en français, méritent chacune nos remerciements pour leur excellent travail et leur respect des échéances. Gilles Rivet a ensuite revu la version française et habilement veillé à ce qu'aucune nuance ne soit perdue.

Nous devons beaucoup à Charis Wahl. Sa compétence, sa bonne humeur, son bon sens et ses questions judicieuses nous ont aidés à préciser notre pensée et notre prose.

La cassette vidéo accompagnant ce livre est l'oeuvre de Télévision Coopération internationale, une ONG canadienne qui a enregistré en partie les ateliers *Prendre le taureau par les cornes*. Peter Lockyer, qui a dirigé la préparation du script, la conception et le tournage, a tous nos remerciements.

L'Agence canadienne de développement international (ACDI) a financé en grande partie la réalisation de la cassette vidéo et du livre. En la remerciant pour son soutien, nous lui savons gré d'avoir cru en la valeur de ce travail.

Enfin, nous remercions très sincèrement le CCCI qui nous a fourni l'occasion de travailler avec ses membres dans le cadre du programme *Prendre le taureau par les cornes*. Il nous a encouragés à écrire ce livre et nous a donné son appui.

David Kelleher et Kate McLaren
Ottawa, octobre 1995

Avant-propos

Les ONG canadiennes sont pressées de toute part : par la baisse du financement gouvernemental, par les ONG du Sud, par les nouvelles influences qui s'exercent sur l'économie mondiale, par les nouvelles possibilités de dialoguer sur les politiques et par la nécessité de mieux informer le public. Ces pressions mettent à rude épreuve les conseils d'administration, le personnel, les donateurs de même que les bénévoles. Par contre, elles libèrent une énergie créatrice qui permet de tirer le maximum des possibilités offertes par une période de changement aussi intense.

Le Conseil canadien pour la coopération internationale (CCCI) regroupe plus de 110 ONG. Il cherche à innover avec ses membres, les ONG canadiennes, afin que celles-ci demeurent à l'avant-garde des efforts réalisés en vue de la justice sociale. Si les ONG ont une vision précise de la coopération internationale, elles seront à la gouverne du changement, plutôt qu'à sa remorque, durant cette période complexe de bouleversement politique et économique.

Ce livre est le fruit du programme intitulé *"Prendre le taureau par les cornes"*, que le CCCI a élaboré précisément pour répondre aux besoins des ONG. Le programme a pris la forme d'ateliers conçus pour aider le personnel et le conseil d'administration de chaque ONG participante à mieux comprendre le changement organisationnel en cours dans leur ONG. Les participants et participantes se sont rendu compte qu'ils n'étaient pas seuls. Beaucoup d'organisations traversent en effet une période de remise en question, de conflit et de confusion, alors même qu'elles cherchent à s'adapter au nouvel environnement.

Le fait, pour les ONG, de partager leur expérience et d'étudier le cas d'autres organisations privées ou publiques a servi de soutien et fait surgir de nouvelles idées. Ce renouvellement des idées et de la compréhension s'est avéré si utile qu'il a fait l'objet d'une cassette vidéo et, maintenant, d'un livre. Ce dernier présente des aspects théoriques du changement organisationnel, des études de cas puisées dans l'expérience des ONG qui ont participé aux ateliers de même qu'un choix «d'outils de changement» pratiques.

Puisque votre organisation cherche à se réinventer, ce livre, nous l'espérons, suscitera chez vous des échanges qui vous prépareront aux temps nouveaux et aux nouveaux défis à relever. Les concepts qu'il renferme et l'expérience qu'il reflète contribueront également au dialogue dans le milieu plus vaste des ONG, où l'on se demande comment créer un nouveau genre d'organisation afin d'appuyer la lutte pour la justice sociale.

Betty Plewes, présidente-directrice générale
CCCI
Septembre 1995

Introduction

Paul Tremblay dirige une ONG de taille moyenne qui jouit d'une bonne réputation dans le domaine du développement international. Hier, il a appris qu'un des principaux bailleurs de fonds réduisait de quarante pour cent sa subvention annuelle, pour l'exercice financier qui débute dans un mois. Découragés, lui et le personnel se sont sentis totalement incapables d'entreprendre une autre série de consultations et d'autres réunions de planification. Il semble que, ces derniers temps, les compressions budgétaires et les changements ont accaparé toutes leurs énergies. Pourquoi, se demande-t-il alors, ne pas réunir simplement la présidente du conseil d'administration, les deux directeurs de programmes et la directrice des finances et prendre une décision?

La situation de Paul Tremblay ressemble à celle de nombreux directeurs, directrices et employés d'organisations en ces temps de compressions et de changement. Paul Tremblay a pris part à une foule d'exercices de planification stratégique, il a restructuré l'organisation, les équipes qu'il a bâties fonctionnent assez bien, il a encouragé le conseil d'administration à participer et il s'est efforcé de rester l'esprit ouvert face aux problèmes causés par les compressions et les réductions. Mais autour de lui les gens sont fatigués. Ils consacrent à ce processus une énergie considérable qui devrait plutôt être investie dans le travail. Avec la nouvelle réduction, il va falloir tout recommencer; mais l'organisation a peu d'énergie et peu de ressources financières pour gérer ce changement.

Dans cet ouvrage, nous tentons de résoudre les dilemmes qui sont vécus à l'intérieur de nombreuses organisations du secteur public, au Canada et à l'étranger. Si un grand nombre d'auteurs cherchent à expliquer les défis extérieurs que doivent relever les ONG du monde entier, notre but à nous est d'aider la direction des organisations et les responsables de programmes, en particulier dans les organismes à but non lucratif, à comprendre la

Les choses ne seront jamais plus ce qu'elles étaient. Il faut développer de nouvelles compétences dans les ONG, et de nouvelles orientations pour faire face au changement… la gestion du changement fait désormais partie de nos fonctions.

dynamique du changement qui les secoue, à agir de manière à sortir renforcés d'un environnement extérieur difficile.

Les choses ne seront jamais plus ce qu'elles étaient. Il faut développer de nouvelles compétences dans les ONG, et de nouvelles orientations pour faire face au changement. À nos compétences professionnelles doivent s'ajouter des "compétences pour le changement", car la gestion du changement fait désormais partie de nos fonctions.

Ce livre est le résultat des ateliers que des membres du Conseil canadien pour la coopération inernationale (CCCI) ont suivis entre 1993 et 1995, dans quatre villes canadiennes. Intitulés *Prendre le taureau par les cornes*, ces ateliers répondaient directement à la nécessité pressante, pour les ONG canadiennes de développement international, de gérer le changement. Chaque ONG a été invitée à envoyer les deux personnes qui sont à la tête, respectivement, de la direction générale et du conseil d'administration. Ce choix s'explique par le fait que ces deux fonctions sont centrales si on veut faire bouger les choses dans une ONG. Or, ces personnes vivent souvent dans des villes éloignées, elles ont rarement l'occasion de travailler un bon moment ensemble aux affaires de leur organisation. L'atelier allait leur offrir un cadre d'action et le temps nécessaire pour commencer à élaborer un plan de changement qu'elles rapporteraient ensuite dans leur organisation.

Avant l'atelier, chaque «couple» de personnes déléguées a consacré une journée entière à l'évaluation organisationnelle de l'ONG. Ces rencontres ont fourni à l'équipe d'animation de précieux renseignements sur la dynamique et les problèmes que traversaient les organisations participantes. Dans chaque ville, environ dix organisations, soit vingt personnes, se sont ensuite retrouvées pour l'atelier, qui a eu lieu en deux temps. Le premier bloc, de trois jours, a fait ressortir les idées clefs, il a donné à chaque organisation le temps d'élaborer un plan fondé sur les questions cernées au cours de l'évaluation. Le deuxième bloc, de deux jours, a eu lieu six mois plus tard. Les mêmes personnes ont vu où elles en étaient dans leur plan respectif, elles ont recueilli auprès des autres des commentaires qui allaient s'avérer cruciaux pour les prochaines étapes.

Selon l'enquête téléphonique effectuée plusieurs mois plus tard auprès d'une grande partie des participants et participantes, en vue d'évaluer le programme, beaucoup avaient réussi à mettre en oeuvre, en partie ou en totalité, leur plan ou stratégie de changement organisationnel. Presque tous estimaient que les conseils pratiques recueillis durant l'atelier leur avaient redonné la confiance nécessaire pour aller de l'avant.

S'appuyant sur l'expérience des ateliers «Prendre le taureau», ce livre ne propose pas de recette ; d'ailleurs, il n'existe pas de recette simple et infaillible. Ce qui fonctionne à un moment donné pour une organisation ne fonctionne pas toujours par la suite ou pour une autre organisation. L'important, c'est d'adapter à chacune le processus du changement en appliquant rigoureusement trois principes essentiels : bien connaître le contexte immédiat dans lequel vous travaillez, évaluer à leur juste valeur les ressources humaines et financières de votre organisation et avoir une bonne idée de ce qui pourrait marcher ou pas. Si l'organisation est prête à apprendre, à se poser les vraies questions et à vivre avec les réponses, elle aura plus de chances de survivre.

Il n'existe bien sûr aucune garantie, même si vous faites "tout ce qu'il faut". Les organisations qui ont suivi nos suggestions ont-elles vécu heureuses jusqu'à la fin des temps? Nul ne peut le dire. Cependant, les idées présentées dans ce livre reflètent ce qu'il y a de plus utile, d'après notre compréhension actuelle de la question. Toutefois, seule l'expérimentation vous amènera à mieux gérer le changement. Chaque tentative est différente, chacune devrait tirer parti de la précédente, poser chaque fois de nouvelles questions et essayer une nouvelle approche.

L'ouvrage s'appuie aussi sur la connaissance du secteur public que les auteurs et de nombreux collègues au Canada et à l'étranger ont acquise, comme cadres, comme consultants ou comme animateurs, dans le secteur communautaire, auprès d'ONG nationales et internationales, auprès de conseils scolaires, d'hôpitaux, de syndicats et de ministères.

L'ensemble du secteur public est en train de se restructurer de fond en comble, tout comme le secteur privé. Cette tendance se manifeste à l'échelle mondiale, bouleversant toutes les organisations publiques ou privées et affectant tous les gens qui travaillent avec et pour elles. Le «contrat social» conclu entre le gouvernement et la population, entre employés et employeurs du secteur public, est à jamais modifié par les compressions et les changements de politiques du gouvernement. La démarcation s'estompe entre le secteur public et le secteur privé. Ce dernier se charge désormais de fonctions naguère assumées ou financées par le gouvernement. Ces changements jettent les ONG canadiennes dans d'importants dilemmes éthiques et financiers qui menacent leur avenir et qu'elles doivent résoudre.

Ce changement en profondeur balaie d'un coup bon nombre de nos certitudes sur la croissance ou les services, sur la sécurité d'emploi ou même sur la nature de notre travail. Chaque individu, chaque organisation repense maintenant sa mission et son engagement, sa pertinence ainsi que ses rapports avec les clients, les militants, les partenaires, les donateurs et même le gouvernement. S'inspirant du secteur privé, des ONG créent des sociétés à but lucratif. Elles offrent des services contre rémunération, elles se lancent dans des coentreprises avec le secteur privé et d'autres ONG. Certaines jouent le rôle de fournisseurs du secteur public, offrant des services au gouvernement. Au départ, cependant, les organisations à but non lucratif diffèrent du secteur privé. Leur raison d'être n'est pas le profit, mais l'efficacité des programmes et des services qu'elles offrent. Même si elles doivent de plus en plus se faire concurrence pour obtenir du financement, elles ne sont pas déterminées par le marché, contrairement aux sociétés à but lucratif. Elles sont déterminées par des valeurs, par le jeu de la survie en même temps que par l'obligation, parfois contradictoire, de rendre compte aux militants, aux donateurs, aux bénévoles, aux partenaires et aux principaux bailleurs de fonds. Ainsi, les conseils d'administration des ONG gèrent un ensemble de dilemmes qui leur est propre.

Le défi consiste alors à survivre, sans sacrifier le but social de l'ONG. Car, après tout, c'est ce but qui distingue les organisations vouées à la justice sociale ou au changement, du secteur à but lucratif.

Il existe de nombreuses théories sur le changement organisationnel. Chacune considère différemment les organisations.

«Les tendances actuelles dans la façon de gouverner pourraient décupler l'importance du secteur volontaire et l'effet de son action, mais elles obligeront la direction des organisations volontaires nationales à adopter de nouveaux modes de pensée et de nouvelles façons de faire les choses.»

— S. Phillips, "On Visions and Revisions: The Voluntary Sector Beyond 2000."

Certaines insistent sur la structure et les relations formelles, d'autres sur la culture organisationnelle et sur la manière dont les individus comprennent le changement et y réagissent. Pour élaborer notre approche du changement et de l'apprentissage, nous avons tenté de retenir le meilleur de chaque théorie. Nous avons ainsi défini dix hypothèses sur le changement organisationnel, qui seront examinées tout au long de l'ouvrage :

Les hypothèses à propos du changement organisationnel

1. Changer n'a rien de nouveau. Cependant, la gestion du changement continu, et souvent tumultueux, exige des compétences et des attitudes nouvelles. Beaucoup d'anciennes idées sur la gestion doivent être remises en question.

   Le changement exige de nouvelles compétences et de nouvelles attitudes.

2. Gérer le changement n'est pas seulement l'affaire de la direction ; cela concerne tout le monde dans l'organisation. Car la matière première du changement est constituée par l'ensemble des expériences, des connaissances et des besoins des gens. La meilleure garantie de succès réside dans l'appropriation collective des résultats du changement.

   Le changement touche tout le monde dans l'organisation, pas seulement la direction.

3. Cependant, la participation et l'engagement de chaque personne ne suffisent pas, car il faut également orienter, conseiller, planifier et décider, il faut une certaine dose de contrôle. L'équilibre entre la flexibilité et l'ouverture, d'une part, et la nécessité de demeurer centré et d'avoir la situation en main, d'autre part, est vital.

   L'équilibre entre la flexibilité et le contrôle est vital.

4. La direction n'a pas toujours la situation en main. Parfois, elle doit croire que le processus menera l'organisation là où elle doit aller, même si le but n'est pas toujours très clair au départ. Lâcher prise dans la tempête peut sembler autodestructeur. Pourtant, tout marin sait qu'il faut courir vent arrière, et non se dresser contre le vent. Les résultats nous surprennent parfois, et une foule d'imprévus surviennent. Les innovations les plus stimulantes peuvent surgir justement au moment où l'on desserre la prise.

   La direction n'a pas toujours la situation en main. Parfois elle doit faire confiance au processus et lâcher prise.

5. Une organisation est un système ouvert, perméable aux influences extérieures. La gestion du changement exige que l'on porte attention à l'environnement immédiat et au milieu

   Une organisation est un système ouvert, perméable à l'influence extérieure.

plus vaste dans lesquels baigne l'organisation. Pour bien les comprendre d'abord ; pour comprendre ensuite comment y réagir. Dans le cas des ONG, il s'agit des instances devant lesquelles elles sont imputables : donateurs, membres, partenaires, personnel, conseil d'administration et gouvernement.

6. Tout pouvoir est concerné par le changement. Le changement organisationnel et la restructuration modifient l'équilibre du pouvoir au sein de l'organisation. Le changement provoque des conflits à l'intérieur et à l'extérieur de l'organisation, et il découle parfois de ces conflits. La façon dont les gens interprètent l'effet qu'aura le changement sur leur prestige, sur leurs programmes et leurs loyautés, détermine leur appui ou leur non-appui à ce changement. Elle le facilite ou elle lui résiste. Une organisation n'est pas seulement une mécanique rationnelle qui résout des problèmes. Elle est douée de complications, de contradiction et d'entêtement. Par conséquent, il est essentiel de prêter attention aux gens ainsi qu'à leurs besoins et à leurs sentiments.

7. En définitive, le changement est une bonne chose. S'il est parfois imposé, il nous offre en revanche l'occasion de renouveler l'organisation, d'abandonner de vieilles idées qui entravent peut-être son efficacité. Un grand changement transforme parfois pour le mieux.

8. Le but du changement n'est pas la survie pour la survie. Des organisations disparaîtront, d'autres viendront pour continuer le travail. Le but du changement est de savoir composer avec des circonstances qui changent sans cesse, d'assurer la pertinence de l'organisation, de renouveler son engagement à réaliser la mission.

Le présent ouvrage contient trois parties. La première partie, soit les chapitres un et deux, jette les fondations en examinant les obstacles au changement et les moyens de les surmonter grâce à un processus d'apprentissage organisationnel. Le chapitre un décrit la dynamique qui empêche parfois l'organisation de réagir adéquatement à la crise et au changement, par exemple : la pensée bureaucratique et trop rationnelle, l'incapacité de repenser correctement ses relations internes et

---

Le changement organisationnel et la restructuration modifient l'équilibre du pouvoir au sein de l'organisation.

En définitive, le changement est une bonne chose.

Le but du changement n'est pas la survie pour la survie.

externes, ou la façon traditionnelle et patriarcale d'organiser le travail et les relations. Le chapitre deux propose une façon de surmonter ces obstacles. Fondée sur l'apprentissage, elle tire le meilleur parti possible de l'expérience des gens qui travaillent pour et avec l'organisation, ainsi que des informations et du savoir qu'ils détiennent.

La deuxième partie comprend trois chapitres qui examinent chacun un levier de changement : la culture de l'organisation; la stratégie de l'organisation, c.-à-d. sa position et sa perspective; la structure de l'organisation, c.-à-d. les relations formelles, les systèmes et les mécanismes décisionnels qui lui sont propres. Pour changer, il faut actionner les trois leviers. Plusieurs études de cas décrivent les expériences des ONG au Canada et à l'étranger.

En troisième partie, on trouve des conseils pratiques sur la manière d'amorcer le changement dans une organisation non gouvernementale ou volontaire. Le chapitre six examine différents types de changement organisationnel, le changement sur une petite échelle et sur une grande échelle. Un projet de changement de grande envergure y est présenté, qui détaille les aspects dont les responsables du changement doivent tenir compte à chaque étape du changement, soit le démarrage, la transition et la mise en oeuvre. Le chapitre sept décrit des outils que d'autres personnes et nous-mêmes avons utilisés dans le processus de changement. Ces outils, accompagnés de feuilles de travail, décrivent en détail comment procéder. Vous pourrez les utiliser ou les modifier en fonction des besoins de votre organisation.

Et Paul Tremblay*, ce directeur frustré présenté au début, quelle suggestion trouvera-t-il dans cet ouvrage? D'abord, de bien réfléchir afin de déterminer si son organisation est prête à accepter l'approche qu'il pense adopter en matière de prise de décision. Ensuite, de bien peser les conséquences néfastes que peut entraîner cette approche, en mettant d'un côté de la balance la confiance, le sentiment d'appartenance et le moral des gens, et de l'autre côté l'urgence de trouver une solution au

---

* Pour tracer le portrait de Paul Tremblay et de son organisation, les auteurs se sont inspirés de l'experience vécue de plusieurs organisations.

problème. Peut-être a-t-il raison. Il se peut que la meilleure solution consiste à agir vite, de manière simple et décisive en misant sur l'effort déjà réalisé. Quelle que soit sa décision, nous lui disons que la gestion du changement n'est pas une tâche qu'il doit s'empresser de terminer pour poursuivre «le véritable travail»; elle fait désormais partie de son travail, du travail de chacune et chacun d'entre nous, aujourd'hui et dans l'avenir.

La problématique : turbulence, vulnérabilité et contrôle

"*Après la réunion, j'étais complètement découragée. J'avais le sentiment de ne pas faire mon travail...il y avait tous ces problèmes... tous ces conflits...parfois je pense qu'il serait temps pour moi de partir.*"

Une directrice d'ONG

AINSI S'EXPRIME LA DIRECTRICE D'UNE ORGANISATION DE développement qui fait oeuvre de pionnière partout dans le monde. Compétente et très engagée, elle a de l'expérience et de l'énergie, et ses collègues la respectent. Elle se sent écrasée sous la pression des multiples exigences, du changement et des conflits. Le sentiment grandit en elle qu'il est peut-être temps de regarder ailleurs. Elle n'est pas la seule. Partout dans le monde, des conseils d'administration d'organisations non gouvernementales ou volontaires se débattent au côté du personnel pour revitaliser, renouveler et reconstruire des organisations dont l'avenir est incertain et le présent pour le moins inquiétant.

A quoi riment tous ces efforts? Qu'est-ce qui nous pousse à mettre nos organisations sens dessus dessous, à passer des nuits et des fins de semaine à nous creuser la tête pour trouver des stratégies, concevoir des structures ou des approches nouvelles?

De nombreux auteurs ont cherché à comprendre la turbulence qui secoue les ONG.[1] Que ces auteurs invoquent l'ère révolue de l'aide sociale, le changement de millénaire, la mondialisation ou le triomphe du capital transnational, les temps sont durs pour les ONG. Il n'est peut-être pas possible, et dans certains cas souhaitable, de préserver toutes nos organisations ou leur façon de faire les choses. L'important, en fin de compte, est de préserver *l'élan* du développement – le désir, les connaissances, expériences et relations qui nous permettent d'oeuvrer ensemble à l'avènement d'un monde sans violence, sans faim ni pauvreté, un monde où régnerait plus de tolérance et d'équité.

Pour préserver cet élan, il faut, par apprentissage organisationnel, que les ONG apprennent à connaître leur milieu, leurs programmes et leurs modes de fonctionnement, et qu'elles soient capables d'agir en conséquence, car l'environnement actuel menace l'existence même des ONG, peut-être de communautés entières d'ONG. Il ne s'agit pas là d'une prédiction, mais de la réalité.

Récemment, un atelier offert par le CCCI sur la collecte de fonds a révélé que les ONG présentes avaient subi une compression budgétaire moyenne de plus de vingt pour cent. En trois ans, une grande ONG a vu passer ses effectifs de 400 à 260. Une réduction additionnelle de 40 pour cent s'annonce, suite aux dernières compressions fédérales et à l'adoption d'une nouvelle vision stratégique. Le dernier budget fédéral a retiré tout financement à quatre-vingt-dix ONG d'éducation et à sept conseils provinciaux de coopération internationale.

La plupart des organisations, publiques et privées, sont maintenant prises dans cette turbulence. Plusieurs ont survécu grâce à leur créativité, aux risques qu'elles ont pris et, parfois, aux amputations radicales qu'elles se sont imposées. D'autres, par contre, demeurent vulnérables et mal préparées pour faire face à la situation. Chez les ONG, cette vulnérabilité est attribuable :

- à l'imputabilité déficiente -rapports dépassés avec les donateurs, les membres, les partenaires et autres ONG; et

- aux «métaphores» (ou images-concepts) organisationnelles qui influencent la pensée et la manière d'agir des organisations.

Ces deux éléments découlent de croyances solidement ancrées au sujet du contrôle et de l'autonomie. Dans toutes les organisations ou presque, la structure vise à renforcer le contrôle au moyen de la constitution, des règlements, des critères de financement, des politiques administratives et des lignes directrices pour la programmation. Nous prenons ces mesures pour éviter que quiconque de l'extérieur ou du gouvernement ne remette en question nos buts.

Pourtant, l'influence et les opinions extérieures sont nécessaires au renouvellement de notre pensée, à la remise en question du statu quo. Elles nous obligent à rendre compte à notre base et à tous les acteurs qui ont un rôle en lien avec notre organisation. Autrement dit, il faut en partie cesser de contrôler pour apprendre, et ainsi résister à la turbulence du milieu organisationnel.[2] L'apport de l'extérieur peut nous confirmer dans notre travail et notre mission ainsi que dans nos choix stratégiques.

La tendance à s'accrocher à l'autorité et au contrôle s'enracine dans les images de notre conscience organisationnelle. La structure profonde de notre façon de voir l'organisation (les idées telles que la bureaucratie, le patriarcat et la rationalité) s'articule autour du contrôle et d'une forme particulière d'autorité.

Le contrôle et l'autorité ne sont pas mauvais en soi. Si votre environnement est stable et que tout vous réussit, vous souhaitez précisément conserver le contrôle. Mais si, en pleine turbulence, vous cherchez de nouvelles idées, alors il faut envisager autrement le contrôle et l'autorité. Ainsi, vous pourriez envisager autrement l'imputabilité au sein de l'organisation, un sujet capital pour toute ONG et tout groupe communautaire.

L'influence et les opinions extérieures sont nécessaires au renouvellement de notre pensée, à la remise en question du statu quo. Elles nous obligent à rendre compte à notre base et à tous les acteurs qui ont un rôle en lien avec notre organisation.

I Imputabilité : autonomie et contrôle

L'imputabilité, appelée aussi «obligation de rendre compte», oblige des individus et des groupes, à l'intérieur et à l'extérieur de l'organisation, à entrer en relation. L'ONG est imputable lorsque les différents acteurs qui sont en rapport avec elle s'attendent à ce qu'elle réalise sa mission sur la base de ses principes et de son éthique. Elle doit rendre des comptes aux principaux bailleurs de fonds, aux partenaires canadiens et étrangers, aux clients, aux membres et aux donateurs, même si chacun d'eux a un point de vue et des besoins différents. L'ONG offre un service, un produit, une expertise que ces acteurs désirent acheter ou recevoir. En retour du financement obtenu, l'ONG fournit des renseignements sur l'utilisation des fonds.

Mais l'imputabilité peut aussi être l'occasion pour les partenaires, les donateurs, les membres et le personnel de partager leurs désirs et leurs attentes, de discuter des besoins ou de l'environnement de l'ONG. L'imputabilité entraîne une relation dans les deux sens.

Les relations occasionnées par l'obligation de rendre compte nourrissent l'organisation et la soutiennent. Plus elle a de comptes à rendre, plus elle s'ouvre aux pressions et aux défis extérieurs, plus l'ONG apprendra de ses divers publics. L'imputabilité, comme ouverture à deux sens, encadre les leaders au style individualiste. Par la pression constante qu'elle exerce, l'obligation de rendre compte amène l'ONG à respecter des normes et des attentes précises. À ce titre, elle constitue une clef d'apprentissage organisationnel.

Bien sûr, cette obligation crée aussi une tension qui risque parfois de nuire à l'apprentissage. L'ouverture excessive aux demandes de l'extérieur mène à l'opportunisme. Par exemple, la concurrence pour le financement rend séduisante la tentation d'adapter ses programmes aux critères des bailleurs de fonds, même si notre réelle obligation envers les partenaires, les membres et les donateurs risque d'en souffrir. Mais, tout bien pesé, l'obligation de rendre compte exerce une pression positive sur une organisation.

Mais l'imputabilité peut aussi être l'occasion pour les partenaires, les donateurs, les membres et le personnel de partager leurs désirs et leurs attentes, de discuter des besoins ou de l'environnement de l'ONG. L'imputabilité entraîne une relation dans les deux sens.

Imputabilité : relations avec l'extérieur

Si l'imputabilité est généralement une bonne chose, pourquoi alors les ONG y résistent-elles? Les ONG s'opposent souvent, en effet, à l'ajout de mécanismes d'imputabilité, par crainte de perdre leur autonomie en matière de programmation, par crainte de la critique ou de l'incompréhension. Pourtant, ne cède-t-on pas une partie de notre autonomie et de notre contrôle, afin de traiter avec le monde extérieur, afin d'apprendre, de changer et de nous épanouir?

Aux donateurs individuels, par exemple, combien d'ONG rendent vraiment compte de leur action et des moyens qu'elles prennent pour la réaliser? De nombreuses raisons justifient de ne pas importuner les gens avec trop de détails. L'ONG tient ses donateurs à distance, les croyant satisfaits par la lecture des témoignages encourageants sur le bon travail qu'ils ont rendu possible grâce à leurs contributions. Les donateurs ne discutent ni de grandes orientations ni de leur mise en oeuvre, ni de l'importance de l'action politique et des activités au Canada, ni des coûts de la coopération outre-mer. Comment changer une telle relation? Et quelles seraient les conséquences, si elle était plus ouverte?

Ce genre de question se pose aussi vis-à-vis de l'Agence canadienne de développement international (ACDI) qui a été, pour de nombreuses ONG de développement, l'un des principaux bailleurs de fonds. Cette relation complexe change parfois, selon le côté où souffle le vent de la politique. La dépendance financière vis-à-vis de l'État étant risquée, les ONG ont souvent évité d'intensifier les contacts par crainte d'être cooptées, critiquées, ou de perdre leur financement. La prudence et la méfiance règnent de part et d'autre. Pourtant la survie de nombreuses ONG dépend en grande partie de leur relation avec l'ACDI; or, cette relation comporte des responsabilités en matière d'imputabilité. Quels effets un dialogue plus franc aurait-il? Les ONG gagneraient-elles ou perdraient-elles en efficacité et en vulnérabilité?

Dans le milieu des ONG, la collégialité est de mise. Beaucoup de projets sont réalisés en commun, mais peu empiètent sur l'autonomie de chacune. Mais les récentes discussions touchant le code d'éthique du CCCI sont très révélatrices. Les ONG ont adopté un code d'ethique, lequel est autogéré. En juin 1997, l'observation du code d'éthique deviendra un critère d'admissibilité au Conseil et un mécanisme d'étude des plaintes pour non conformité sera mis en place.

La relation que les ONG du Nord ont établie avec les partenaires du Sud est sans doute la plus éloquente en matière d'imputabilité. Ces partenaires ont-ils pris la parole, livré un point de vue, fait une observation ces cinq dernières années, au cours d'un exercice de planification stratégique, d'une journée d'étude du C.A., d'un séminaire de gestion ou d'une assemblée générale annuelle? Si la plupart des ONG rencontrent leurs partenaires de façon régulière sur le terrain, si certaines nouent avec eux de solides relations de confiance et de réciprocité à long terme, ces derniers ne sont pas représentés quand vient le temps de réfléchir sur l'avenir. Et quand ils sont représentés, c'est par des sympathisants du Nord. Les partenaires sont loin des membres, loin du C.A., loin des donateurs, loin dans le temps et dans l'espace ainsi qu'au plan des ressources.

La difficulté associée à l'obligation de rendre compte a freiné le développement des outils d'apprentissage.[3] Dans le secteur privé par contre,la concurrence croissante a fait comprendre très clairement aux sociétés l'importance de l'information. Elles ont aussitôt mis en place des mécanismes innovateurs permettant de rendre des comptes aux clients, aux fournisseurs et autres partenaires commerciaux. La notion de «chaîne de valeurs», par exemple, permet à une société d'examiner chaque étape où une valeur est ajoutée et de se demander si elle produit la meilleure qualité possible, au coût le plus bas et le plus rapidement possible.[4] Ce genre de concept fait défaut dans la plupart des ONG. Si chaque ONG comprenait mieux les mécanismes et les méthodes qui entrent en jeu dans son travail et dans celui de ses partenaires, elle pourrait systématiser ses apprentissages. Présentement, dans les ONG, une grande partie de l'information et de l'expérience acquises ne se transforme pas en apprentissage organisationnel. (Le problème est pire quand il faut communiquer par-delà les frontières culturelles et nationales.)

Toutefois, les ONG prennent des mesures pour réduire la distance qui les sépare des donateurs, des partenaires et du grand public. L'imputabilité préoccupe énormément les ONG, elle doit entraîner un engagement clair de leur part.

Mesures favorisant l'imputabilité :

- Des ONG invitent régulièrement les membres du C.A. à se rendre sur le terrain pour rencontrer les partenaires et discuter des projets;

- Le Code d'éthique récemment adopté par le CCCI a poussé d'autres membres à se donner un code d'éthique ou à adopter celui du CCCI pour leurs propres besoins;

- En Europe, des ONG soumettent leur fonctionnement à un «contrôle social», une appréciation effectuée de l'extérieur et rendue publique;

- Des ONG ont consciemment développé une culture où les partenaires sont respectés et invités à participer à tous les niveaux de l'organisation;

- Afin de trouver comment mieux communiquer leur message et recueillir plus de fonds, des ONG portent une attention particulière aux commentaires des donateurs. Par contre, les donateurs individuels ont peu d'occasion d'influer sur la programmation.

- Une ONG prépare des questionnaires pour sonder l'opinion des membres sur des questions d'orientation (elle sera liée par les résultats de certains).

- Des ONG effectuent régulièrement des études de marché sur leurs donateurs.

En résumé, l'imputabilité exerce une pression constructive, car elle incite les ONG à demeurer pertinentes vis-à-vis de leur base et cohérentes face à leur mission. Les mécanismes d'imputabilité sont une source d'information sur les services que l'organisation fournit ou nécessite. Quand l'imputabilité est déficiente, l'information et la pression en souffrent; or, ce sont deux facteurs déterminants de l'apprentissage organisationnel.

Imputabilité interne : le conseil d'administration et l'orientation stratégique

La direction donnée à une organisation par le personnel et le conseil d'administration doit, au carrefour des relations décrites précédemment, être soumise au flux d'informations qui en émanent, générer des connaissances par le dialogue et se nourrir de la solidarité engendrée par ces relations. Car les connaissances et la solidarité doivent être la *matière première* des discussions au sein de l'organisation : qui nous sommes, ce qui compte pour nous, ce qu'il faut faire et ce que nous aimons faire, ce qui nous distingue des autres...

Voilà le véritable ordre du jour du conseil d'administration.[5] Même si les organisations volontaires et les ONG associent habituellement le personnel et autres personnes à ces discussions, c'est le conseil d'administration qui détient le mandat législatif, la responsabilité de donner une orientation stratégique à l'organisation.

La discussion stratégique doit être continue pour que l'organisation demeure pertinente à son environnement qui, lui aussi, change. À cette fin, l'organisation doit définir clairement son identité, trouver l'information dont elle a besoin et faire des *choix;* tel ce service de loisirs qui a décidé d'appuyer les services récréatifs communautaires et de cesser d'offrir des services directs; tel ce conseil d'administration d'une ONG qui a décidé d'envoyer moins de coopérantes et coopérants outre-mer pour mettre l'accent sur les alliances stratégiques qu'elle veut bâtir avec les ONG du Sud et du Nord. Ces décisions concernent le but ultime de l'organisme car elles déterminent s'il faut mettre fin ou mettre un frein à une activité, afin d'en commencer une autre.

Ces choix stratégiques sont difficiles à faire, car ils forcent le conseil d'administration à redéfinir son rôle véritable. Il arrive encore souvent que le C.A. se considère comme le surveillant de la direction; il veut lire les rapports émanant du personnel, examiner avec soin les décisions relatives à l'embauche et adopter le budget. Mais un C.A. qui exerce un véritable leadership stratégique doit se considérer comme un *propriétaire-fiduciaire,* comme le responsable de la survie de l'ONG et de son développement à long terme. Il doit donc se concentrer sur les grandes questions. À cette fin, le C.A. doit être représentatif d'une diversité de points de vue enracinés dans les bases de l'ONG; il doit être bien informé des réalités auxquelles l'organisation est confrontée, avoir un rôle clair, être prêt à modifier sa façon de penser et à prendre des décisions difficiles, à l'encontre parfois de l'avis du personnel.

Est-ce à dire que le C.A. n'aura aucune cohérence? La cohérence est importante, mais elle découle du dialogue, du consensus, d'une planification judicieuse et des mécanismes de communication, et non de l'homogénéité des membres ou d'une imputabilité déficiente.

De nombreuses ONG n'ont pas su, à cause de leurs idées périmées sur l'autonomie et le contrôle, développer le genre de relations qu'il fallait pour garantir l'apprentissage et une véritable imputabilité. Elles ont entravé le développement d'un leadership stratégique, dont nous avons pourtant grandement besoin. La prochaine partie du chapitre examine trois autres syndrômes de contrôle, c'est-à-dire trois métaphores qui ont défini les ONG et façonné leur expérience.

De nombreuses ONG n'ont pas su, à cause de leurs idées périmées sur l'autonomie et le contrôle, développer le genre de relations qu'il fallait pour garantir l'apprentissage et une véritable imputabilité.

II Métaphores toxiques : la bureaucratie, le patriarcat et la rationalité

La culture bureaucratique et patriarcale dans laquelle nous avons grandi ne nous a laissé aucune métaphore susceptible d'aider notre réflexion sur les organisations. Bien que la plupart d'entre nous ne croyions plus à un leadership rationnel, autoritaire et patriarcal, nous continuons à croire dans un modèle bureaucratique qui marque notre façon de comprendre les organisations et leur évolution.

La bureaucratie

Pour comprendre à quel point notre conception des organisations est dominée par l'image de la bureaucratie, imaginons une ONG efficace. Elle a probablement des buts et objectifs clairs, un mode de gestion, une structure hiérarchique et des orientations générales. Il y a aussi des gens dans sa hiérarchie, des réunions, des bureaux. Maintenant, tentons d'imaginer d'autres métaphores d'organisation : une forêt pluviale, le cerveau humain ou encore un orchestre. Cela est beaucoup plus difficile. Ces images ne sont tout simplement pas aussi, disons, «naturelles» que l'image bureaucratique.

Fondamentalement, la structure de la bureaucratie moderne est née au XVIIIe siècle sous Frédéric le Grand, de Prusse. Ayant hérité d'une armée indisciplinée de conscrits, de criminels et de mercenaires étrangers, Frédéric le Grand décida d'en faire une machine de guerre logique. Il introduisit le grade et l'uniforme, étendit les règlements et uniformisa l'équipement, la formation et les manoeuvres militaires. Presque deux cents ans plus tard, Max Weber a décrit la bureaucratie en des termes que Frédéric aurait immédiatement reconnus : "... une organisation systématise l'administration exactement comme la machine systématise la production. [La bureaucratie] recherche la précision, la rapidité, la clarté, la régularité, la fiabilité et l'efficacité, et les atteint par la division fixe des tâches, par la supervision hiérarchique et par des règlements détaillés."[6]

L'étude de Weber constitue le fondement de «la gestion scientifique» qui définit les tâches en fonction de la plus grande efficacité possible, les décomposant souvent en une série de tâches simples et routinières qui exigent peu de compétences.

Cette théorie a fait croire que les ordres donnés par les gens au sommet de l'organisation auraient l'effet voulu en bas de l'échelle, puisque les conditions de travail étaient toutes sous contrôle. Elle présume également que l'efficacité organisationnelle exige l'exercice de l'autorité.

En toute justice, il faut admettre que la bureaucratie a constitué un progrès indéniable. Elle a introduit l'autorité de la loi dans les organisations. Elle a condamné le népotisme, le favoritisme et l'arbitraire auxquels s'adonnaient les responsables, elle a favorisé l'avancement en fonction du mérite, la prise de décision objective et le traitement juste et équitable du personnel. L'embauche a été codifiée, les échelles de salaire normalisées et le comportement organisationnel soumis à des règles et procédures placées au-delà du pouvoir arbitraire des cadres et des propriétaires.

La bureaucratie a également adopté des mécanismes impersonnels pour gérer les conflits. Les règles, procédures et politiques prévoient les événements et précisent les actions à entreprendre. Au sein de l'organisation, les gens ne passent plus leur temps à être tantôt puni tantôt récompensé, selon qu'ils ont pris la bonne ou la mauvaise décision.

Les ONG et les organisations volontaires ont la réputation d'être moins bureaucratiques que les organisations gouvernementales ou à but lucratif. Elles sont fières de leur accessibilité, de leur rapports chaleureux avec les gens et de leur capacité de s'adapter aux nouvelles situations.

Pourtant, même si nous combattons le paradigme de la bureaucratie, nous continuons à y croire sans le remettre en question, c'est-à-dire à croire qu'une organisation est une mécanique rationnelle qui vise un but précis, qu'elle doit être hiérarchisée et axée sur l'utilisation efficace de ressources en vue de réaliser des buts clairement définis.

Une organisation rationnelle, qui est efficace et centrée sur le but à atteindre, ça ne semble pas si mauvais que cela. L'expérience nous apprend cependant que les organisations ne sont pas, en pratique, si rationnelles que cela. Les gens ont des éclairs de génie ou sont totalement hors-circuit; ils sont pressés de toutes parts par les nombreuses exigences des diverses parties intéressées à l'organisation et encouragés par ceux et celles qui les appuient. Et si l'efficacité nous importait à ce point, nous n'accepterions jamais de consacrer tant de temps pour faire consensus à partir de divers points de vue. «L'efficacité» ne permettrait pas que nous investissions des heures et des jours dans le dialogue, afin que s'épanouisse le partenariat.

Pour ce qui est de «viser un but», la manière habituelle de procéder nous force à viser des but atteignables, observables, mesurables, et donc prévisibles. Pourtant, viser le prévisible nous contraint à éliminer le merveilleux hasard, les digressions accidentelles qui débouchent parfois sur quelque chose d'intéressant. Notre capacité de *voir* au-delà est obscurcie par l'acte même de la planification et de l'action préparées uniquement en fonction du but. Seuls quelques aspects du travail, parfois les moins intéressants, se prêtent à la formulation traditionnelle d'un but et à l'atteinte de résultats mesurables : par exemple le nombre de personnes venues à l'atelier, l'argent déboursé, le nombre de sessions de formation offertes...

Les buts ou l'efficacité ne sont pas de mauvaises choses en soi. Le problème survient quand ils occupent le centre de notre conscience organisationnelle, qu'ils nous empêchent de comprendre vraiment notre travail, c'est-à-dire de comprendre ce que nous faisons et ce que nous pourrions faire.

Notre héritage bureaucratique nous a interdit, jusqu'à récemment peut-être d'examiner attentivement :

- les structures complexes, organiques, biologiques, au lieu des structures simples et mécanistes;

- les conceptions multidimensionnelles de l'organisation, au lieu des conceptions objectives;

- la participation et la communication, autrement que pour les mesurer à l'aide de critères aussi limités que les répercussions et l'efficacité.

Comme le rappelle l'anthropologue Gregory Bateson, rien n'est plus toxique qu'une mauvaise métaphore.[7] La bureaucratie, avec son bagage d'autoritarisme, de sexisme et de mécanicisme, entre à coup sûr dans cette catégorie.

Ne nous étonnons pas si la bureaucratie est si solidement implantée. Les valeurs telles la rationalité, la hiérarchie et l'objectivité sont au coeur de la société occidentale.

Or, les organisations volontaires et non gouvernementales ont eu bonne cause de critiquer ces hypothèses à l'occasion des discussions qui ont porté sur les rapports femmes-hommes et la rationalité (et sur la nécessité de penser autrement).

Le patriarcat

Jusqu'à récemment, la théorie et la pratique organisationnelles ne tenaient pas compte des différences entre les femmes et les hommes; la différence entre l'expérience des femmes et celle des hommes dans les organisations étant invisible, on l'a peu examinée. Beaucoup d'organisations ont eu beau engager plus de femmes, augmenter leur nombre au conseil d'administration et concevoir des programmes en fonction des répercussions différentes qu'ils auraient sur les femmes et sur les hommes, la structure qui sous-tend ces ONG est restée profondément patriarcale, c'est-à-dire conçue par des hommes, dirigée par des hommes, de manière à être compatible avec les intérêts des hommes.[8]

Le patriarcat continue d'influencer notre vision des relations, de l'autorité et du contrôle. Rien d'étonnant, donc, à ce que le point de vue patriarcal sur l'autorité et le contrôle fleurisse au coeur du paradigme bureaucratique. Lorsque nous nous organisons, nous appliquons automatiquement ce point de vue patriarcal de la bureaucratie.

C'est tout récemment que les théoriciennes féministes ont signalé que les organisations avaient un «genre». Bien qu'on ne s'entende ni sur la nature d'une éventuelle "organisation féministe", ni à savoir si une telle organisation serait souhaitable, la perspective féministe sur les organisations a beaucoup à nous apprendre.

Par exemple, la direction d'une organisation bénévole exige de longues heures de travail, des fins de semaine ainsi que la capacité de voyager. Dans une société où le soin des enfants revient surtout aux femmes, ces exigences avantagent démesurément les hommes. De plus, comme l'indique Dorothy Dinnerstein, tant que les femmes auront la responsabilité des enfants, elles seront considérées comme des «employées à problèmes». N'est-ce pas pour elles qu'il faut penser aux garderies, prendre des dis-

...tant que les femmes auront la responsabilité des enfants, elles seront considéréres comme des «employées à problèmes».

– D. Dinnerstein

positions spéciales pour les voyages, ou adapter les heures de bureau aux horaires des enfants?[9] S'il n'était des femmes, l'organisation pourrait fonctionner de façon «normale», c'est-à-dire travailler de longues journées sans les contraintes familiales et se concentrer principalement sur le travail à l'exclusion des autres «problèmes» de la vie.

Dans les organisations, le processus décisionnel est souvent masculin. Beaucoup d'ONG ont délaissé la façon masculine, autoritaire, de prendre leurs décisions, mais l'ont remplacée par une démocratie antagoniste largement teintée d'individualisme (un homme, un vote). De son côté, la théorie organisationnelle féministe critique l'élitisme, la hiérarchie et l'inégalité oppri-mante. Robin Lidener compare l'éthique «de la compassion» à l'éthique «de l'impartialité» qui sous-tend la démocratie organisa-tionnelle libérale.[10] L'éthique de la compassion tient compte des points de vue minoritaires. Plus important encore, elle tient compte des points de vue qui sont mal vus par la culture majori-taire. La structure profonde, rarement contestée, de la démocra-tie mâle repose sur le débat suivi d'un vote, qui accorde à certains la victoire et inflige aux autres la défaite. Que les per-dants se consolent, le processus a été «juste et impartial». Ce processus impartial, accepté à l'avance par la majorité, est plus important que le résultat, même quand ce dernier fait très mal. La différence entre l'éthique de compassion et l'éthique d'impar-tialité est-elle affaire de genre? On ne l'a pas encore établi; mais plus de femmes, semble-t-il, fonctionnent mieux à l'intérieur d'une éthique de compassion, alors que plus d'hommes se sen-tent plus à l'aise dans le cadre d'une éthique d'impartialité.

La linguiste Deborah Tannen a démontré que le langage des hommes diffère énormément du langage des femmes et qu'une grande partie de la différence touche les notions de contrôle, de pouvoir et de hiérarchie. L'interaction des hommes porte en grande partie sur leur désir de gravir, ou du moins la crainte de descendre, un échelon. À l'inverse, chez les femmes, la conversa-tion porte sur l'atteinte de l'égalité ou exprime la solidarité.[11] Ainsi, comme la plupart des ONG définissent la compétence à partir de critères masculins, c'est-à-dire incluant une très grande confiance en soi, elles considèrent souvent que les femmes ne sont pas «prêtes» pour une promotion parce qu'elles manquent de détermination ou de confiance en soi.

Les préjugés favorables aux hommes s'étendent également au domaine de la programmation. Selon la spécialiste du développement, Anne Marie Goetz, les projets de développement qui prétendent viser les femmes de manière spécifique (tel que le travail agricole) excluent en grande partie ces dernières de la planification et, souvent, des résultats. Ainsi, en Afrique, où les femmes produisent 80 pour cent des aliments, environ deux pour cent des contrats dans ce domaine leur sont confiés. Au Bangladesh, mises à part quelques agences de micro-crédit qui soutiennent les femmes, on accorde moins de crédit aux femmes qu'aux hommes et la formation donnée aux femmes porte sur des activités peu profitables et stéréotypées. Parfois même, la formation et le crédit leur sont accordés à condition qu'elles prennent des mesures de planification familiale.[12]

Si les ONG et les organisations volontaires veulent transformer la vie et des hommes et des femmes, leurs programmes devront englober les perspectives à la fois des femmes et des hommes. Cela signifie qu'au sein de ces organisations les femmes autant que les hommes doivent pouvoir donner le meilleur d'eux-mêmes. Pour de nombreuses organisations, la façon de travailler, à l'interne et au niveau des programmes, va devoir être modifiée en profondeur.

La rationalité

À mesure que l'environnement est devenu plus complexe, la réflexion sur la réalité a crû en difficulté et en temps. Malheureusement, enlisée dans la pensée traditionnelle linéaire et rationnelle, cette réflexion réduit des problèmes complexes aux catégories simplistes, le bien et le mal, ou quantifiables. Incapable d'intégrer les valeurs ou de résoudre les paradoxes, la pensée logique ne convient plus à notre situation.[13] On comprend de plus en plus que la gestion efficace doit pouvoir résoudre des dilemmes, pour tirer le meilleur parti possible de valeurs apparemment contradictoires.[14]

Dans une organisation volontaire, par exemple, tout ce qui touche la flexibilité, la créativité et la prise en charge de son avenir s'oppose à la spécialisation, au contrôle et à l'intégration. Cette question est cruciale. Pour être efficace, l'organisation a besoin des deux aspects; le défi, c'est de trouver l'équilibre.

Autre problème : combien investir dans les services dispensés (la productivité) et combien dans la santé de l'organisation (participation, formation et bon gouvernement)? Rappeler que notre but est de soulager la faim, et que le reste passe en second, ne sert à rien. L'ONG qui pense ainsi, habituellement mal pourvue en personnel, manque de compétences et se considère comme une martyre; son efficacité en souffre. Par ailleurs, chacun de nous connaît des organisations qui s'enlisent dans les discussions idéologiques stériles, sans se soucier de leurs réalisations ou des effets de leur travail.

Cette critique de la rationalité linéaire ne prône pas l'abandon de la faculté de penser; elle prône plutôt le développement d'une pensée plus complète, qui accepte des valeurs contraires et les réalités qui changent rapidement, une pensée axée sur le changement.

L'analyse traditionnelle résulte du travail d'une personne ou d'un groupe brillant. Dans l'organisation qui sait apprendre, chacun et chacune doit «penser changement», faire appel à sa créativité et à sa raison. Cette réflexion inclut les témoignages, les allégories, les expériences, les valeurs et les sentiments. Les témoignages sont importants, car il est émouvant de savoir que notre travail a changé la vie des gens.

Ce chapitre a d'abord rappelé que les défis rencontrés par les ONG et les organisations volontaires exigent un changement fondamental. Handicapées dans l'effort de changer par une imputabilité déficiente et par la capacité de leur direction de penser stratégiquement, les ONG sont, plus profondément encore, handicapées par les métaphores traditionnelles qui les décrivent. La bureaucratie, étant conçue en vue de la stabilité et de l'exercice de l'autorité, ne s'ouvre pas facilement au changement et au partage de l'autorité. La critique féministe des

L'analyse traditionnelle résulte du travail d'une personne ou d'un groupe brillant. Dans l'organisation qui sait apprendre, chacun et chacune doit «penser changement».

organisations et la réflexion sur les limites de la rationalité génèrent des apprentissages particulièrement concluants.

Ce chapitre soulève immédiatement la question : «Existe-t-il un paradigme différent capable de traiter de ces questions complexes?» C'est à cette question que le reste de l'ouvrage tente de répondre. Le prochain chapitre commence en décrivant l'organisation qui sait apprendre, fondement de ce paradigme.

Références

1. Clark, J. *Democratising Development, The Role of Voluntary Organizations*, Londres, Earthscan, 1991; Coalition des organisations nationales volontaires, *Taking Voluntarism to the Year 2015*, Ottawa, 1994; Cumming, L., en collaboration avec Singleton, B., "Organizational Sustainability – An End of the Century Challenge for Voluntary International Development Organizations", exposé présenté à la conférence annuelle de l'Association canadienne d'études du développement international, Montréal, 1995; Marquardt, R., "Le secteur bénévole et le gouvernement fédéral : une réflexion à la suite du budget de 1995", document de travail préparé pour l'assemblée générale annuelle du CCCI, mai 1995; Phillips, S., "Of Visions and Revisions: The Voluntary Sector Beyond 2000", in Bulletin of the Coalition of National Voluntary Organizations, vol. 12, no.3 (hiver 1993); Saxby J., "Who Owns the Private Aid Agencies? Mythology...and Some Awkward Questions", ébauche de chapitre pour une publication de la Transnational Institute, Amsterdam, 1995; (sous la direction de) Smillie, I., Helmich, H., *Non-Governmental Organizations: Stakeholders for Development*, Paris, Centre du développement de l'OCDE, 1993.

2. Stacey, R., Managing the Unknowable: Strategic Boundaries Between Order and Chaos in Organizations, San Francisco: Jossey-Bass, 1992.

3. Howard, R., *The Learning Imperative, Managing People for Continuous Innovation*, Boston, Harvard Business Review Books, 1993.

4. Porter, M., *Competitive Strategy, Techniques for Analysing Industries and Competitors*, New York, Free press, 1980.

5. Carver, *Boards that Make a Difference*, San Francisco, Jossey-Bass, 1988.

6. Morgan, G., *Images of Organization*, Beverly Hills, Sage, 1986. (p. 24)

7. Bateson, G., *Mind and Nature, A Necessary Unity*, New York, dutton, 1979.

8. Mills, A., Tancred, P., eds, *Gendering Organizational Analysis*, Newbury Park, Sage, 1992.

9. Dinnerstein, D., *The Mermaid and the Minotaur, Sexual Arrangements and Human Malaise*, New York, Harper, 1976.

10. Lindner, R., "Stretching the Boundaries of Liberal Feminism: Democratic Innovation in a Feminist Organization", Signs, vol 16, no. 2, pp. 263-289, 1991.

11. Tannen, D., *Talking From 9 to 5*, New York, Morrow, 1994.

12. Goetz, A., "Gender and Administration", IDS Bulletin, vol. 23, no. 4, 1992.

13. Hampden-Turner, C., *Charting the Corporate Mind*, New York, Free Press, 1990.

14. Quinn, R., *Beyond Rational Management*, San Francisco, Jossey-Bass, 1988.

Des organisations qui savent apprendre

2

«*Depuis que je travaille ici, j'ai toujours été frustré par notre incapacité, comme organisation, de tirer parti de la quantité incroyable d'expériences et de connaissances que nous avons accumulées. Tout cela reste dans la tête des membres du personnel et des partenaires. Il n'y a pas d'apprentissage organisationnel.*»

Un cadre d'ONG

COMBIEN DE PLAINTES SEMBLABLES N'ONT-ELLES PAS RÉSONNÉ DANS nos organisations, surtout les plus grandes et les plus anciennes, dont les méthodes de travail et les réactions sont implantées depuis longtemps? Que faire pour que l'organisation apprenne de façon continue? La planification stratégique et l'évaluation sont utiles, mais elles ne garantissent pas le changement. Tous, nous sentons l'urgence de trouver une autre façon de penser notre travail, nos relations dans le monde et nos organisations. Ce qui a fonctionné dans le passé ne fonctionnera plus à l'avenir. Impossible désormais de gérer en visant le statu quo, la stabilité, la croissance et le prévisible.

Ce qu'il faut faire, c'est s'orienter autrement, c'est adopter un autre point de vue qui pose d'autres questions, parfois difficiles, c'est vivre avec l'ambiguïté qui accompagne tout nouveau processus. Si la perspective effraie, elle donne aussi de l'énergie, parce que la gestion d'une organisation en apprentissage est beaucoup plus exigeante pour la direction, le personnel, les membres et les partenaires. Elle nous force à réfléchir et à apprendre ensemble, avec compassion et humilité et avec une véritable empathie.

La méthode d'apprentissage organisationnel décrite plus bas a été élaborée sur plusieurs années avec l'appui d'un grand nombre d'ONG. Elle constituait le cadre principal de l'atelier *Prendre le taureau par les cornes* qui a précédé ce livre. La méthode s'applique à quatre niveaux ou domaines de l'organisation, que nous appelons «champs» organisationnels et qui couvrent tout le «territoire», c.-à-d. toutes les relations d'une organisation, internes et externes.

Champs d'apprentissage organisationnels

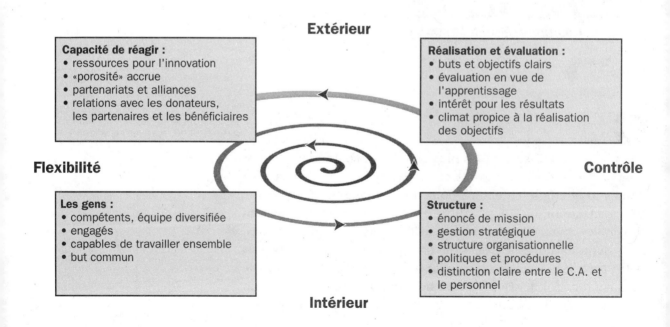

Ce diagramme décrit les rapports dynamiques qui caractérisent toute organisation.[1] L'apprentissage organisationnel exige l'interaction constante et l'équilibre dynamique de tous ces champs. Deux champs (réalisation et capacité de réagir) sont tournés vers l'extérieur de l'organisation. Les deux autres (structure et gens) sont tournés vers l'intérieur. Les champs «gens» et «capacité de réagir» exigent de la flexibilité, tandis que «réalisation» et «structure» demandent le contrôle. À quel endroit se situe telle ONG dans ce diagramme? Cela dépend de ses buts et valeurs, de son histoire, de sa culture ainsi que de son contexte actuel. Dans les organisations de justice sociale, les «gens» ont souvent préséance sur le «contrôle». L'ONG en pleine croissance et bien pourvue en fonds relâchera les fonctions de contrôle liées à l'évaluation ou à l'efficacité. Par contre, en période de compressions ou quand les revenus baissent, elle resserre ses champs «contrôle» et «structure». L'organisation en santé trouve l'équilibre entre les quatre champs, au lieu de passer sans arrêt de l'un à l'autre.

Les gens

Quelle que soit son orientation, toute organisation commence ses apprentissages avec les gens, avec leur compréhension des choses, leur expérience et leur apport, et les leur retourne toujours. Dans l'organisation qui apprend, les relations de travail de même que les conditions de travail et la sorte de gestion sont à la fois cause et effet. Les comportements des gens, c.-à-d. la culture et les grandes orientations de l'organisation, devraient s'harmoniser avec son but social et ses valeurs, surtout dans les organisations à vocation sociale ou de développement.

L'organisation qui attache beaucoup d'importance aux gens :

- Attire et garde des gens compétents, différents, dévoués à l'organisation, des femmes et des hommes prêts à apprendre et à travailler ensemble, qui seront membres du personnel, du CA ou bénévoles;

- Organise des équipes qui savent résister aux tensions suscitées par l'apprentissage en groupe;

- Crée un climat qui aide à libérer l'énergie des personnes créatives;

- Développe une compréhension commune du but de l'organisation et de ses principales valeurs.

Capacité de réagir

Ce champ englobe la créativité, l'ouverture face à l'information, la capacité d'écoute face aux membres, aux donateurs, aux partenaires, la capacité d'oser penser et agir autrement et de façon stimulante.

L'abondante recherche effectuée dans le secteur privé a montré que l'organisation doit à tout prix entrer en rapport avec son milieu extérieur; à cette fin, elle doit aller chercher toute l'information et mieux se réseauter avec les fournisseurs, les clients et les autres producteurs. Dans un milieu aussi changeant et imprévisible que celui des affaires, la souplesse et l'écoute font parfois toute la différence entre la survie et la mort.

Dans le secteur des ONG et des organisations volontaires, les mêmes conditions extérieures s'appliquent, même si les buts ultimes diffèrent. Dans un document intitulé *Operationality in Turbulence,*[2] l'ONG britannique ACORD fait trois recommandations judicieuses sur ce sujet :

- Soyez à l'écoute des bénéficiaires et des donateurs; faites en sorte que l'organisme s'imprègne des points de vue des gens directement touchés par les programmes.

  Le dialogue entre l'ONG et les bénéficiaires exige une grande sensibilité au problème des privilèges (de classe, de race, de sexe). L'expérience et la connaissance de la population locale comptent autant que celles des spécialistes.[3] Cette recommandation est au coeur de l'apprentissage organisationnel, en particulier dans le cas des ONG de développement international qui tentent de corriger l'injustice et les inégalités dont souffrent les plus vulnérables. Les donateurs et ONG du Nord, qui sont à l'extérieur du processus de développement, doivent écouter et apprendre des populations locales, de leur expérience et de leurs connaissances.[4]

- Consacrez des ressources à l'innovation et à la créativité. Les gens ont besoin d'espace physique et d'espace émotif pour résoudre les problèmes de manière créative. L'exhortation à faire davantage ne suffit pas.

- Bâtissez des partenariats et des alliances. Aucune ONG ne peut s'en sortir seule. Réseaux, fusions, coalitions et consortiums sont autant de nouvelles formes organisationnelles qui rehaussent l'impact des activités et de l'apprentissage au-delà des frontières organisationnelles.

ACORD propose des bases intéressantes pour juger du succès de notre capacité de réagir. Combien de temps (%) le personnel des programmes consacre-t-il au personnel sur le terrain et aux principaux décideurs des autres ONG? Combien de projets de recherche-action, de projets pilotes et d'argent consacrons-nous à cette tâche? Prenons-nous le temps de parler avec les donateurs? Partenaires et donateurs peuvent-ils effectuer un contrôle de la qualité? Y a-t-il visite et échange entre les donateurs et les responsables des programmes sur le terrain? Et surtout : à combien de formalités, de règlements, de réunions et de comités inutiles l'ONG *renonce-t-elle* chaque mois?

La structure

La structure et les systèmes servent à contrôler et à définir, non à réprimer l'énergie ou l'initiative, qu'il faut plutôt canaliser vers les buts de l'organisation, dans des structures pertinentes et des mécanismes d'imputabilité. En voici quelques exemples :

- Définir clairement les responsabilités du personnel et du C.A. à partir d'un but commun accepté par tous. Cette définition peut revêtir toute sorte de formes; l'important est que chaque ONG la révise périodiquement.

- Une mission ou un énoncé des buts et valeurs, une déclaration officielle du but principal de l'organisation. (Voir chapitre 4)

- Une structure organisationnelle qui facilite les relations verticales et latérales importantes, qui fixe l'attention sur les tâches essentielles, qui encourage l'imputabilité. (Voir chapitre 5)

- Un ensemble d'orientations et de mécanismes qui stimulent l'apprentissage individuel et organisationnel; par exemple, une évaluation du rendement du personnel et du C.A. (ce qui est plus traditionnel), ou encore une politique de recherche, une évaluation du programme ou de l'organisation, des visites sur le terrain. (Voir chapitre 7)

La mise en place de la structure doit tenir compte des exigences des trois autres champs, puisqu'ils se complètent les uns les autres. Le contrôle des orientations et des mécanismes passe souvent pour préjudiciable à la créativité et à la motivation du personnel. Les deux, toutefois, doivent se compléter.

Réalisation et évaluation

Ce champ pose énormément de problèmes aux organisations volontaires et aux ONG; il a fait l'objet de recherches et de débats nombreux. Souvent, une organisation entreprend une évaluation parce que ses bailleurs de fonds l'exigent, et non parce qu'elle la juge essentielle pour sa planification et son apprentissage. Une analyse récente sur la viabilité des ONG canadiennes de développement international est fort révélatrice : toutes les personnes interrogées, ou presque, ont dit que l'absence d'évaluation sérieuse constitue une lacune importante des ONG au Canada.[5] La «gestion à partir des résultats» et toute la discussion sur la signification et les conséquences qu'elle va avoir stimulent la réflexion sur l'évaluation des aspects non quantitatifs et souvent invisibles de notre travail.

En résumé, l'organisation apprend en portant attention à toutes les tâches et relations organisationnelles rencontrées dans chacun des champs suivants : «les gens»; «la structure»; «le milieu extérieur»; et «la tâche à accomplir».

Gérer en vue d'apprendre

«Notre ONG s'est toujours préoccupée de ces choses! Alors, en quoi cette méthode est-elle différente?»

Pour devenir une organisation capable d'apprendre, notre manière de penser et d'entrer en relation doit changer du tout au tout. La gestion traditionnelle recherche le prévisible, la stabilité, la responsabilité individuelle, l'esprit de décision et la cohérence. L'ONG qui vise le statu quo apprécie les gens qui savent ce qu'ils font et qui ont «les bonnes réponses». La gestion d'apprentissage nous oblige à reconnaître qu'on n'a pas vraiment la réponse et, en fait, qu'on n'a aucune certitude. À propos des présomptueux qui cherchent à changer les choses de façon rationnelle et délibérée, Boris Pasternak fait dire au Docteur Zhivago :

> Refaire la vie! Ceux qui disent cela n'ont rien compris à la vie, ils n'en ont jamais senti le souffle et le coeur, quoi qu'ils aient vu ou fait. Pour eux, la vie est une matière brute à façonner, qu'ils ennoblissent par leur action. Mais la vie n'est jamais simplement une matière à façonner. Si vous voulez savoir, la vie est un principe sans cesse renouvelé, elle se renouvelle, elle se refait, elle change constamment de visage; elle échappe infiniment à toutes les théories que nous fabriquons à son sujet. (traduction libre)[6]

Penser en fonction du changement demande de vivre avec l'incertitude et l'ambiguïté et la complexité; cela demande d'admettre que les réponses viendront uniquement d'une collaboration entre des gens dont les intérêts, le savoir et les points de vue diffèrent, mais qui sont prêts à «fabriquer», ensemble, une réponse.[7]

La «résolution de problèmes» pose un problème

Gérer une organisation en fonction de l'apprentissage veut dire laisser tomber une des plus chères (et souvent masculines) pratiques de gestion. Pendant des années, nous avons fait grand cas de la «résolution de problèmes» et des gestionnaires qui savent définir clairement le problème, proposer les solutions et agir de manière décisive.

Alors pourquoi la résolution de problèmes pose-t-elle problème? Examinons la logique de cette méthode et voyons comment elle bloque parfois les véritables apprentissages.

Habituellement, la résolution de problèmes commence par la prise de conscience que quelque chose ne va pas; elle se poursuit par la recherche et l'analyse. La méthode est centrée sur la recherche de la meilleure solution.

Étapes habituelles de la résolution de problèmes :

1. Définir le problème

2. Recueillir l'information

3. Analyser l'information

4. Dégager des solutions possibles

5. Choisir la meilleure solution

6. Mettre en oeuvre ou piloter la meilleure solution

7. Évaluer le résultat

Cette méthode, rassurante et prévisible, entraîne peu de risques; elle consiste à mener à bien la tâche en faisant le moins d'erreurs possible; elle est socialement acceptable. Elle n'est ni désordonnée ou inefficace, ni risquée, ni imprévisible, des caractéristiques que George Prince associe à la pensée «spéculative et créative».[8]

La difficulté de cette méthode est qu'en concentrant son énergie sur le problème et sur la meilleure solution, on demeure parfois dans la logique qui a causé le problème au point de départ. Par exemple, on pensera résoudre une surcharge de travail par l'ajout de personnel ou par une diminution du travail. Face au problème on ne s'interroge pas nécessairement sur la nature du travail, on ne se demande même pas si le personnel doit effectuer ces tâches. Une approche plus spéculative ou créative s'accomode mal du manque de temps et de ressources de même que d'un milieu qui s'enorgueillit de sa capacité de «prendre des décisions difficiles» et efficaces.

Créer le possible

L'autre façon d'aborder une situation difficile consiste à «créer le possible». Elle débute de la même façon, c.-à-d. par la prise de conscience que quelque chose ne tourne pas rond. Mais au lieu d'axer la discussion sur la solution du problème, on l'élargit pour inclure des questions qui, loin de fermer l'horizon, l'élargissent plutôt, des questions qui sembleront illogiques, hors de propos, voire inacceptables.

Dans l'exemple de la surcharge de travail, on se demandera par exemple : Quel genre de vie organisationnelle veut-on? On utilisera des métaphores, des anecdotes, des associations de mots; on fera des digressions; on cherchera des possibles qui insufflent de l'énergie et qui inspirent, qui amènent la discussion (et la solution éventuelle) sur un terrain inattendu. Pour cela, il faut cesser de se concentrer sur le résultat, sur le but conscient de l'exercice.

Gregory Bateson rappelle que ce but conscient masque la complexité des systèmes écologiques et sociaux. Il confine notre attention sur le but et sur le moyen de l'atteindre. Cette logique ne tient pas compte des façons plus globales de comprendre les relations; et on critique en effet les ONG de développement international pour leur incapacité d'apprécier ou de comprendre les nombreux effets sociaux et psychologiques des projets qu'elles ont soigneusement planifiés.[9]

En condamnant le but conscient, Bateson critique radicalement la pratique et la culture de gestion. Si l'on admet que le monde est complexe, imprévisible et interdépendant, on doit aussi admettre que le problème mérite d'être examiné dans un contexte plus large, que toute action entreprise se répercutera sur les autres composantes et que les meilleures solutions ne surgiront que d'un groupe de gens qui connaissent les multiples aspects du tout. Quand on reconnaît cette complexité, on ne succombe plus à la tentation de la pensée simpliste et réductrice. Six études illustrent l'importance d'éviter l'application de solutions simples à des tâches d'apprentissage organisationnel complexes :

- Richard Pascale décrit comment l'entreprise qui a du succès perd du terrain si elle ne remet pas en question sa théorie du succès. D'après Pascale, l'organisation a besoin autant de contrôle, de cohérence et d'adaptation à son milieu, c.-à-d. de

C'est la tension entre la cohésion et la division qui rend l'apprentissage possible.

«cohésion», que de décentralisation, de variété et de liberté individuelle, c.-à-d. de «division». C'est la tension entre la cohésion et la division qui rend l'apprentissage possible.[10]

- Charles Handy résume ainsi le «dilemme» : La plupart des dilemmes que nous rencontrons en ces temps de confusion n'exigent aucunement de trancher entre le bien et le mal, auquel cas tout compromis serait signe de faiblesse. Il s'agit de dilemmes beaucoup plus compliqués où il faut choisir entre le bien et le bien. Je veux consacrer plus de temps à mon travail *et* à ma famille; nous voulons faire confiance à nos subordonnés *mais* nous devons savoir ce qu'ils font.[11]

- Danny Miller décrit comment l'entreprise dotée d'une force particulière peut se diriger vers l'échec, faute d'avoir négligé le contraire de sa force. Par exemple, l'entreprise dont la force réside dans la conception de produits de qualité peut échouer parce qu'elle insiste tellement sur la qualité de la conception qu'elle devient incapable de faire les compromis exigés par le marché.[12]

- Une étude sur l'apprentissage chez les cadres révèle que ces personnes apprennent mieux lorsque, en même temps que la pression subie, elles reçoivent du soutien. Une étude sur l'innovation dans les écoles arrive à la même conclusion.[13]

- Un article fameux de la *Harvard Business Review* relate comment une aciérie canadienne a découvert qu'elle devait penser à la fois «aux bulles et aux boîtes». Les bulles, c'était les questions dites douces qui concernent le moral et le travail d'équipe; les boîtes, c'était les questions dures qui concernent les coûts et la technologie.[14]

- Robert Quinn, dans son ouvrage sur le leadership intitulé *Beyond Rational Management,* insiste sur l'aptitude du leader à gérer des valeurs concurrentes : suffisamment de souplesse pour accepter l'innovation et s'adapter aux situations qui changent, suffisamment de contrôle pour insister sur l'exécution des tâches et l'évaluation des résultats.[15]

Finalement, les conditions permettant l'apprentissage se résument à un mode de gestion différent.[16] Il n'est peut-être pas tout à fait exact de parler de «gestion féministe», mais on peut certainement parler d'une «gestion post-patriarcale» où l'héroïsme individuel, la concurrence, la hiérarchie et la résolution rationnelle des problèmes ont moins d'importance. Ce nouveau mode de gestion fait place à la complexité et la globalité; il invite au dialogue mais il insuffle en même temps un sentiment d'urgence qui commande un processus décisionnel efficace et opportun, de l'innovation, des réalisations et une adaptation constante au monde qui évolue. Il exige l'équilibre entre la souplesse et le contrôle, entre le processus et le contenu. Trop pencher d'un côté ou de l'autre peut entraîner de graves conséquences pour l'avenir. Ce mode de gestion «post-patriarcal» vise essentiellement à réconcilier des contraires apparents.

L'apprentissage organisationnel en pratique : deux cas

Voici deux cas illustrant le contraste entre la résolution de problèmes doublée d'un «gros bon sens», et l'apprentissage organisationnel.

Cas no. 1 : Canada

Récemment, une ONG canadienne de taille moyenne, qui oeuvre dans le domaine de la justice sociale, a terminé l'année avec un assez gros déficit, après sa collecte de fonds annuelle. Elle devait, à l'évidence, réduire ses opérations. Le C.A., l'exécutif et la direction ont étudié des moyens pour faire face à la situation. Le groupe des «pratiques» voyaient là un problème simple exigeant une solution simple : réduire le budget et redoubler d'efforts pour recueillir davantage de fonds. En d'autres mots, garder la même organisation, mais avec un million de dollars en moins.

Pour réduire le budget, il fallait réduire le personnel. Selon les pragmatiques, mieux valait déterminer les activités prioritaires, et licencier le personnel en conséquence (avec compensation

Cas type

adéquate, bien entendu). À leurs yeux, c'était l'occasion de rationnaliser l'organisation et de la rendre financièrement plus rigoureuse.

Cette approche, en apparence toute simple, pose le problème illustré dans le diagramme ci-dessous. Les recherches réalisées récemment par le secteur privé révèlent que cette approche pratique ne mène pas nécessairement à la stabilité financière. La réduction du personnel et des programmes démoralise le personnel et entraîne une baisse des résultats et de l'engagement. Les conflits surgissent et toute l'ONG y perd en efficacité. À la fin, les difficultés financières sont encore plus graves.[17]

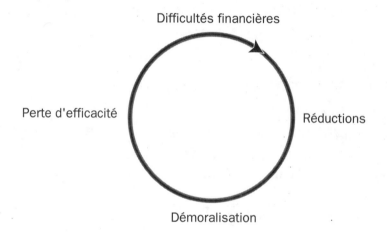

L'autre groupe a choisi une approche fondée sur l'apprentissage et la reconnaissance de la complexité de la situation. Il a proposé de repenser l'organisation en fonction des changements du milieu, qui avaient entraîné le manque à gagner, et de faire le lien entre cette situation et les changements majeurs qui frappent les milieux du développement. C'est finalement leur proposition qui a été retenue.

À l'origine, l'ONG avait organisé un atelier et une consultation qui avait débouché sur la vision de ce que l'ONG pourrait devenir. Parallèlement, avec le personnel, elle a trouvé des moyens pour gérer le stress et pour assurer la participation de tous et de toutes (mesures facilitant le départ volontaire, counselling financier et personnel).

Grâce à cette approche humaine, le personnel a pu investir pas mal d'énergie dans les débats difficiles qui ont été suivis d'une consultation sur la question : Comment mettre en oeuvre notre vision avec le budget actuel?

Même si la deuxième approche a entraîné, elle aussi, la réduction du budget et du personnel, l'ONG a appris des leçons importantes. Elle s'est donné une nouvelle vision, une nouvelle façon de travailler avec les membres et une nouvelle approche pour sa programmation. Elle était ainsi bien préparée à faire face aux défis.

Non que la deuxième approche ait été plus facile; en fait, on ne peut même pas parler de succès retentissant. Les pragmatiques au C.A. et chez les membres ont lutté ferme pour imposer leur point de vue. Le conflit a divisé l'organisation; à un des moments critiques, une quantité énorme d'énergie professionnelle et émotive a été engloutie. Ce conflit, cependant, a constitué une importante étape de développement. L'ONG a pu résoudre un dilemme fondamental sur ses valeurs. Le conseil d'administration récemment élu privilégie maintenant l'apprentissage. L'organisation est en voie de guérison et traverse une période de paix relative.

Examinons les hypothèses qui sous-tendent la deuxième approche :

1. La disposition d'esprit, l'engagement et la participation du personnel, du C.A. et des membres sont essentiels pour que le changement organisationnel soit réel. Il faut préserver cet acquis au moment de réduire les coûts;

2. Il peut être essentiel de clarifier ou de redéfinir la vision organisationnelle pour résoudre les tensions et les conflits. La résolution de problème peut donner un regain d'énergie au personnel, au C.A. et aux membres;

3. Une modification soudaine de l'environnement externe, telle une baisse brusque du soutien des donateurs, annonce peut être un problème plus grave qu'une simple affaire de revenus et de déficit. La baisse de revenus peut être attribuable à d'autres raisons, que l'ONG n'a pas comprises.

Il faut voir là une occasion de repenser la position et la perspective de l'ONG dans toutes ses activités;

4. L'imputabilité vis-à-vis des membres, du C.A. et des donateurs est très importante. Elle constitue le fondement du changement démocratique;

5. Une ONG qui réduit sa taille de moitié n'est pas seulement plus petite, elle est différente. Il lui faut peut-être une nouvelle structure, une autre façon de travailler avec les membres, avec les partenaires, ou les uns avec les autres;

6. Pour faire face à un milieu turbulent, il faut s'engager à apprendre.

Cas type

Cas no. 2 : Asie

Le second cas est celui d'une grande ONG asiatique qui réalise de nombreux projets de développement avec les femmes. Cette ONG a tenté pendant quelque temps d'apporter un meilleur appui à ces projets. La direction savait que pour améliorer le service offert aux femmes, il fallait changer les attitudes du personnel principalement masculin, mais elle comprenait mal le rôle des rapports femmes-hommes dans la philosophie du développement et ignorait quels changements apporter pour que le programme soit plus équitable à ce chapitre.

Certains, au sein de la direction, considéraient la situation comme un problème à résoudre plutôt que comme une occasion d'explorer. La solution découlant de la résolution de problème consistait à trouver le meilleur programme de formation possible, à former le plus grand nombre d'employés et d'employées possible et à espérer que le personnel, fort de sa nouvelle compréhension et plus attentif aux rapports femmes-hommes, serait mieux disposé à l'égard du personnel féminin et que le souci des rapports femmes-hommes serait plus clair dans les programmes.

Après beaucoup de discussions, une autre approche a pris forme. Les gens ont commencé par reconnaître que les rapports entre les sexes et la manière de les améliorer n'était pas un sujet très connu, que par conséquent il fallait davantage d'exploration et d'apprentissage que de formation. En outre, l'apprentissage ne pouvait se faire de manière individuelle : la culture et le fonctionnement mêmes de l'ONG devaient changer. Il a donc été décidé :

- D'amorcer un processus d'apprentissage organisationnel et individuel;

- De former une équipe composée de gens de l'intérieur qui connaissent l'ONG et ses programmes et de gens de l'extérieur qui connaissent la question des rapports femmes-hommes et du changement organisationnel;

- De chercher à comprendre l'évolution des rapports entre les femmes et les hommes au sein de l'organisation. (L'équipe a réalisé cette partie en discutant avec la direction et le personnel.)

- De réaliser une évaluation à grande échelle des besoins, en vue d'en tirer une meilleure connaissances des rapports femmes-hommes au sein de l'organisation;

- De préparer et de réaliser un programme d'apprentissage par l'action qui lie la recherche sur les rapports femmes-hommes à un plan d'action précis en vue du changement;

- De tenir les formateurs, les formatrices et la direction responsables de l'atteinte des buts convenus.

Quatre hypothèses sous-tendent cette approche :

1. Laissé à lui-même, le personnel continuera, dans la plupart des cas, à agir d'une manière qui ne change rien aux rapports femmes-hommes. La direction doit donc prendre l'initiative.

2. Résultant de déterminations culturelles et sociales, les croyances en matière de rapports femmes-hommes sont souvent inconscientes et incontestées. Elles résistent à la simple incitation à la transformation. Il faut donc actionner

un processus d'apprentissage capable d'influer sur les croyances profondes.

3. L'engagement personnel fonctionne mieux que la contrainte : les employés doivent eux-mêmes comprendre de ce qu'il faut faire et s'engager à effectuer un ensemble de changements qui ont du sens pour eux, dans leur situation.

4. Bien que le processus soit exploratoire, il faut le rattacher à des buts de la programmation. Les gens doivent être imputables du changement.

Principaux aspects de l'apprentissage organisationnel

Ces deux cas révèlent des aspects importants de l'apprentissage organisationnel.

1. L'accumulation de connaissances :

Les deux organisations se sont lancées dans la cueillette de données : milieu extérieur, sentiments et croyances du personnel et de la direction, idées provenant de l'extérieur. Fait révélateur : l'information importante a circulé en partie par la «structure d'imputabilité» (donateurs, C.A., membres) et a été utilisée pour créer une nouveau savoir organisationnel.

2. La pensée plurielle :

les solutions qui sont apparues étaient le fruit d'une réflexion collective. Mais rassembler les gens ne suffit pas; à bon escient, les deux ONG ont consulté le personnel et ont utilisé la conférence de recherche, les conférences de planification avec la direction, les questionnaires et les ateliers.

3. Les relations :

Chaque processus a connu dans ses meilleurs moments une quête respectueuse de la vérité, fondée sur la collaboration. Chacun a connu des moments de concurrence, de manque de respect pour les autres points de vue ainsi que de défense rigide de croyances enracinées, peut-être devenues inutiles.

4. La complexité :

Les deux ONG ont dépassé l'approche simple de la résolution de problème. Dans le second cas, la capacité de faire face aux contradictions est particulièrement évidente. Pour transformer les rapports femmes-hommes, cette ONG a su agencer les pressions exercées par les leaders et la participation du personnel en vue de définir ses propres objectifs.

5. L'apprentissage individuel :

Dans les deux cas, il fallait un apprentissage individuel, tant parmi le personnel qu'à la direction. Les gens ont appris des choses sur le contexte et la collecte de fonds, sur le changement et les rapports femmes-hommes.

6. L'imputabilité :

Les deux ONG se sont fait un devoir de rendre compte à la direction générale, au C.A., aux membres, aux donateurs, soit les groupes qui appuient et alimentent leur travail. Cette dimension, toutefois, est sans doute la moins développée des deux processus de changement.

7. Les rapports femmes-hommes et le patriarcat :

Les deux ONG devront poursuivre leur évolution vers une forme post-patriarcale de leadership, capable d'intégrer toutes ces idées et d'éviter les solutions simplistes du «gros bon sens», habituellement enracinées dans les convictions de quelques dirigeants.

De nombreuses ONG et organisations volontaires voient leur survie menacée par des forces internes et externes. Aucune approche traditionnelle ne peut entraîner des changements organisationnels aussi vastes que ceux qu'il faut aujourd'hui. Dans ce chapitre, nous avons vu qu'il est essentiel d'approcher autrement les problèmes si on veut les résoudre et avancer. Ces approches doivent s'inspirer d'une façon de concevoir l'apprentissage organisationnel qui mise sur l'expérience, les connaissances et l'engagement des gens, qui aligne la structure et les stratégies organisationnelles sur la vision, qui évalue les résultats, équilibre les mécanismes de contrôle et d'imputabilité avec la souplesse et la créativité nécessaires pour réagir adéquatement au milieu extérieur.

Références

1. Quinn, R., *Beyond Rational Management*, San Francisco, Jossey-Bass, 1988.

2. ACORD, «Operationality in Turbulence: The Need for Change», ébauche d'un document de travail, novembre 1992.

3. Narayan, U. «Working Together Across Difference: Some Considerations on Emotions and Political Practice,» Hypatia, vol. 3, no. 2 (été 1988).

4. Chambers, R., *Rural Development, Putting the Last First*, London, Longman, 1983.

5. Cumming, L. avec B. Singleton, «Organizational Sustainability – an End of the Century Challenge for Canadian Voluntary International Development Organizations», exposé présenté à la onzième conférence annuelle de l'Association canadienne d'études du développement international, Montréal, 1995.

6. Nous sommes redevables à Marie Gillen pour cette citation tirée du Docteur Zhivago de B. Pasternak. Gillen, M., *Religious Women in Transition, A Qualitative Study of Personal Growth and Organizational Change*, thèse de doctorat, Université de Toronto (OISE), 1980.

7. Schrage, M. *Shared Minds, the New Technologies of Collaboration*, New York, Randomm House, 1990.

8. Prince, C. «Creativity and Learning as Skills, not Talents,» The Phillips Exeter Bulletin, juin-juillet et septembre-octobre 1980.

9. Bateson, G., *Steps to an Ecology of Mind*, New York, Ballatine, 1972.

10. Pascale, R., *Les risques de l'excellence, la stratégie des conflits constructifs*, InterÉditions, Paris, 1992.

11. Handy, C., *The Empty Raincoat*, London, Hutchison, 1994.

12. Miller, D., *The Icarus Paradox*, New York, Harper, 1990.

13. Kelleher, D., Finestone, P., Lowry, A., Managerial Learning, First Notes from an Unstudied Frontier, *Group and Organizational Studies*, septembre 1986. Huberman, M., Miles, M., *Innovation Up Close*, New York, Plenum, 1984.

15. Hurst, D., «Of Bubbles, Boxes and Effective Management», Harvard Business Review, mai-juin 1984.

16. Quinn, R., *op. cit.*

17. Kofman, F., Senge, P., «Communities of Commitment, The Heart of Learning Organizations», *Organizational Dynamics*, automne 1993.

18. Noer, D., *Healing the Wounds*, San Francisco, Jossey-Bass, 1993; Globe and Mail, Report on Business «Survivors Also Suffer in Down-sizing: Expert», le mardi 23 mai 1995.

DEUXIÈME PARTIE

Les leviers du changement : la culture, la stratégie et la structure

Dans la première partie, nous avons présenté quelques grandes idées sur les organisations et le changement. Le chapitre 1 a passé en revue les concepts qui déterminent notre façon de concevoir le fonctionnement de nos organisations. Nous avons réfléchi sur la bureaucratie, sur le patriarcat et son influence sur les rapports dans le milieu de travail, nous avons traité de la rationalité en tant que moyen d'aborder les problèmes et de les résoudre.

En deuxième partie, nous examinons trois leviers du changement organisationnel : la culture, la stratégie et la structure. Pour que le changement organisationnel soit un succès, il faut actionner ces trois leviers et tenir compte de leur interaction.

La culture et le changement organisationnel

3

LES GESTIONNAIRES ONT COMMENCÉ À S'INTÉRESSER AU CONCEPT de culture organisationnelle il y a environ trente ans. La formation donnée à cette époque traitait de leadership et de motivation du personnel. Cette formation, qui partait de l'expérience et misait sur l'écoute des autres, marqua beaucoup les cadres qui repartirent enthousiasmés à l'idée de travailler autrement. Mais ces hommes et ces femmes ont déchanté; ils avaient changé mais pas leurs organisations qui virent d'un mauvais oeil leurs nouvelles compétences.

La recherche effectuée par la suite a confirmé que l'acquisition de nouvelles attitudes et compétences, par les cadres, ne suffit pas, à elle seule, à entraîner un changement organisationnel.[1] Ces cadres et les consultants avaient néanmoins découvert qu'il existait un ensemble de valeurs, de croyances et de règles de comportement qu'eux-mêmes, en tant que cadres, étaient incapables de changer. La leçon était importante. Donc, la formation des individus ne change pas la manière d'être d'une organisation, c'est-à-dire sa «culture».

On a ainsi commencé à comprendre que l'apprentissage individuel n'est qu'un aspect du changement organisationnel. La «culture», elle aussi, doit changer.

Les femmes et les hommes chercheurs, praticiens ou éducateurs, qui se sont penchés sur les organisations, ont découvert que la culture peut soit faciliter soit entraver le changement, que telle culture est plus ouverte au changement que d'autres, mais que toute culture pouvait changer, intentionnellement ou non. Ce chapitre étudie la relation entre la culture et le changement.

Qu'est-ce que la culture organisationnelle?

La culture organisationnelle est la trame des croyances et des valeurs communes qui ont permis à l'organisation, par le passé, de résoudre d'importants problèmes.

La culture organisationnelle est la trame des croyances et des valeurs communes qui ont permis à l'organisation, par le passé, de résoudre d'importants problèmes. Ces croyances et valeurs reflètent ce que pensent les gens de leur travail. Ainsi, les valeurs et principes fondamentaux se retrouvent dans les énoncés de mission et ils se reflètent dans la façon dont le travail est organisé. Ils gouvernent les rapports qu'entretiennent les gens dans leur milieu de travail, la manière dont les décisions sont prises, dont la clientèle est traitée, dont l'autorité est exercée ainsi qu'une foule d'autres aspects essentiels au travail collectif.[2]

Certaines organisations se soucient du service qu'elles offrent à leur clientèle; d'autres s'attendent à ce que l'on montre du respect et des égards aux plus anciens; d'autres encore sont moins protocolaires et plus égalitaires. On peut penser à la culture comme aux valeurs et aux comportements qui créent un climat différent d'une organisation à l'autre, même si ceux et celles qui font partie de l'organisation n'en remarquent souvent pas la culture distinctive.

Un grand nombre de valeurs et d'hypothèses fondamentales qui sous-tendent les comportements au travail ne sont pas très évidentes ou conscientes; parfois, elles sont cachées et vont à l'encontre du discours officiel de l'organisation.

Par exemple, un service de logements sociaux a récemment consacré beaucoup de temps et un peu d'argent pour obtenir que les locataires participent davantage à la gestion de leur milieu. Cependant, chaque fois que les locataires proposaient de nouvelles idées, le personnel avait toujours une bonne raison pour les rejeter. Ce service, tout en disant tenir à la participation des locataires, avait en fait une culture organisationnelle qui privilégiait l'efficacité et les considérations matérielles. Contre l'analyse coûts-rendement, la participation n'avait aucune chance.

Une autre ONG a acquis une réputation pour la qualité exceptionnelle de ses programmes, conçus et soigneusement contrôlés par le siège social. Cependant, quand les conditions ont changé dans diverses régions du monde, le bureau principal avait de plus en plus de mal à s'adapter. Bien des membres pensaient que la meilleure façon de résoudre ce dilemme était de décentraliser l'autorité et la planification des programmes. Le personnel au centre craignait que la qualité n'en souffre. Le débat qui a suivi a fait monter l'idée, profondément ancrée, que seul le contrôle central pouvait garantir la qualité. La décentralisation était donc impossible sans un changement de culture.

De nombreux auteurs ont tenté de classer les cultures selon des catégories : institutionnalisation forte ou faible, centralisation ou décentralisation. Les organisations «universalistes» croient que les règles et les mécanismes sont essentiels au bon fonctionnement; les «particularistes» croient que, puisque les situations varient avec le temps et le lieu, l'important est de savoir innover et s'adapter à une situation donnée. Ces catégories sont utiles, mais elles cachent parfois les subtilités d'une culture organisationnelle particulière. (Par exemple, dire qu'une personne est «ouverte» la distingue des personnes plus réservées, mais on ne sait pas grand chose de plus.) La culture organisationnelle, comme la personnalité, se découvre à force de fréquentations.[3]

Le pouvoir est une caractéristique de la culture, que l'on ne nomme pas toujours comme telle. Pourtant, son influence sur la structure d'une organisation et sur son caractère est considérable. Le pouvoir est réparti de manière formelle, selon les fonctions et les champs d'autorité, et de manière informelle. Il n'est jamais, ou presque jamais, réparti de manière égale. Même dans une organisation égalitaire, tel groupe ou telles personnes exercent une influence démesurée sur la manière de faire les choses. Chacune et chacun, au sein d'une organisation, sait où se trouvent les centres de pouvoir et les cliques, qui est «de la boîte» ou de l'extérieur, et quel pouvoir coercitif peut détenir «l'opinion du groupe». Car tout cela fait partie de la vie organisationnelle. Pour piloter le changement organisationnel, il faut à tout prix comprendre les valeurs culturelles entourant les problèmes du pouvoir.[4]

La culture organisationnelle et le changement

La culture organisationnelle, nous l'avons dit, gêne ou facilite le changement; elle peut changer ou être changée. Examinons d'abord comment la culture entrave le changement. Au début, l'organisation est créée en réponse à un problème ou à un besoin mondial ou communautaire. La première solution vient de la direction; celle-ci implante éventuellement ses réponses, sa façon de faire et sa vision dans la culture. Petit à petit, ce qui préoccupe la direction, les populations qu'elle cible, les comportements qu'elle valorise et la manière d'allouer les fonds sont intégrés comme normes culturelles. Le leadership fait partie intégrante de la culture organisationnelle et du changement.

Par exemple, dans un syndicat né à la suite d'un violent conflit avec la direction, la légitimité des premiers leaders se fonde sur un passé de confrontation. Sa culture se développe autour de cette notion et le syndicat prend l'habitude de résoudre les problèmes à l'intérieur de ce cadre de référence. Les générations suivantes de leaders, issues de la même tradition, embrassaient les mêmes principes. Il y a peu de chance que ce syndicat adopte une attitude conciliante pour résoudre les problèmes ou qu'il écoute les discours des éventuels leaders prônant la collaboration.

On le voit, la culture organisationnelle influe sur l'éventail de choix ou de stratégies qu'une organisation veut bien considérer. Des stratégies possibles sont écartées, d'autres sont tout simplement impensables. Ainsi, la culture est une force conservatrice, car elle définit la manière dont on a résolu les problèmes dans le passé. La culture ne change pas facilement parce qu'il est peu probable qu'une organisation abandonne les méthodes qui lui ont valu ses réussites. Souvent, il faut des pressions considérables ou une crise majeure pour débloquer une culture figée dans le passé.

Comment une culture organisationnelle change-t-elle? En général, le changement de culture est inconscient, il résulte de l'évolution normale. Une organisation évolue constamment, à mesure que surgissent des problèmes exigeant de nouvelles réponses. Mais le changement peut aussi résulter d'un changement technologique important, de la vente de la société et de sa réorganisation, ou d'autres facteurs. Parfois, le changement survient d'un seul coup, ébranlant toute l'organisation. Souvent, le changement n'est pas géré, mais simplement subi. Par contre, quand on comprend l'importance de la culture pour le changement organisationnel, on s'y intéresse, on veut la modifier, travailler avec elle de manière délibérée. Pour parvenir à cela, les leaders et les cadres doivent comprendre la culture de l'organisation. La non-compréhension de sa propre culture risque d'entraîner une organisation sur des chemins difficiles, voire impraticables, comme c'est le cas dans ce qui suit.

Il est tellement difficile de changer la culture que cette tâche ne saurait être entreprise à la légère. Souvent, un déclencheur externe remet en question la capacité de l'organisation à continuer sur sa lancée. Ce sont habituellement les pressions financières ou politiques qui jouent ce rôle. La véritable évolution, consciente et délibérée, débute quand les gens se rendent compte que le problème remet en cause leurs hypothèses fondamentales. Cette prise de conscience déclenche parfois la réflexion et l'analyse ainsi qu'un rebrassage culturel qui débouche sur des orientations et des valeurs nouvelles, sur des méthodes de travail et des comportements nouveaux. Le tout peut engendrer des conflits parce que les valeurs et les hypothèses cachées remontent à la surface, ébranlant les relations de pouvoir et les centres de pouvoir établis.

Une commission scolaire a entrepris l'examen de son fonctionnement et de sa culture. La croyance déclarée dans la créativité et l'innovation était contredite par des façons hiérarchiques et traditionnelles de travailler. Avec l'aide du personnel, l'équipe de consultants et de consultantes a voulu ouvrir cette culture, pour que la commission scolaire soit plus communicative et mieux disposée à l'égard de l'innovation. Parmi les forces de changement se trouvaient le directeur des études, certains principaux et des cadres de la commission. La méthode employée s'appuyait sur la cueillette d'un grand nombre d'informations de même que sur la réalisation, au sein de la commission, d'ateliers visant à cerner la culture et ses effets sur l'apprentissage et la gestion. Les questions du pouvoir, de la participation et des buts de l'instruction ont été soulevées. Comme tout effort de transformation culturelle, celui-ci a parfois été secouée de conflits. Mais ces conflits ont été importants, car sans conflit, il n'y a pas de changement.

Pour effectuer un changement de culture, on a souvent besoin de gens de l'extérieur. Ceux-ci remettent en question ce que les personnes en place tiennent pour acquis. Leurs remarques mettent souvent en lumière les hypothèses culturelles et les artéfacts. On peut aussi, lorsque la culture organisationnelle est en partie enfouie ou inconsciente, étudier les sources de tension ou de désaccord, les lieux de friction. Ces sources et ces lieux révèlent parfois des attitudes ou des hypothèses qui ne sont pas totalement conscientes mais qui agissent néanmoins sur le comportement et les attentes des gens. Tout ce qui est mis au jour par l'examen de la culture organisationnelle mérite d'être discuté et travaillé. Cette méthode progressive aide l'organisation à comprendre sa culture et à voir comment certains aspects marquent en profondeur son fonctionnement.

Finalement, le changement de culture est parfois dû à un renouveau du leadership. ("Leaders" renvoie aux femmes et aux hommes qui ont de l'influence, pas nécessairement à la direction.) Les leaders légitiment certains points de vue et comportements, c'est-à-dire toutes ces choses qui sont récompensées ou sanctionnées. Les leaders influent sur la culture lorsque leur intervention vise directement à modifier la manière de faire les choses; mais cela prend du temps.

Ainsi, le changement de culture survenu dans le service municipal responsable de l'attribution des permis de constuction est dû en grande partie à un nouveau leader qui, devant l'insatisfaction du public, a changé l'orientation du service. Il a mis en branle un processus consultatif qui s'est étalé sur trois ans. Tous les outils possibles ont été utilisés pour changer la culture : promotion de personnes instruites incarnant les nouvelles valeurs; formation d'équipes; mise en valeur du service; recours aux statistiques pour mesurer le travail; recours à des consultants en gestion, à des formatrices et à des formateurs; sondages, réunions, ateliers et autres approches. Ainsi, le service a changé de culture. Le souci de se conformer aux règlements a fait place au souci de servir les citoyens; le leadership autoritaire d'un superviseur a fait place à la responsabilité professionnelle; l'action individuelle a fait place au travail d'équipe.

L'histoire de «ONGI», une ONG de développement international dont le siège social est au Canada, illustre bien nos propos sur la culture. Nous avons choisi ONGI parce les dilemmes qu'elle a rencontrés sont courants parmi les ONG nord-américaines et qu'ils devraient aussi trouver un écho dans d'autres organisations volontaires. ONGI a fait deux tentatives de changement très différentes et espacées dans le temps. La première a échoué, la deuxième a réussi. Pourquoi? La seconde était-elle différente? La culture organisationnelle a-t-elle joué un rôle dans les deux tentatives? Quelles leçons ONGI a-t-elle apprises?

ONGI : ONG internationale

Étude de cas

Toute l'histoire de l'ONG appelée ONGI n'est pas racontée ici. A certains égards, ONGI puise à différentes histoires, bien qu'aucun événement relaté ici ne soit fictif. Le point de vue est celui du personnel au siège de l'organisation.

Changement organisationnel à ONGI : phase un

Pendant des décennies, ONGI a oeuvré outre-mer, en éducation, en santé, en agriculture, en développement communautaire. Au début, elle passait principalement par l'intermédiaire des gouvernements outre-mer, puisqu'il existait peu d'ONG dans le Sud. Dans les années 80, le budget d'ONGI s'élevait à plusieurs millions de dollars; elle possédait des bureaux outre-mer et au Canada et travaillait exclusivement avec les ONG du Sud. La majorité de ses fonds provenaient du gouvernement canadien, par l'intermédiaire de l'Agence canadienne de développement international (ACDI). À son conseil d'administration, toutes les régions d'outre-mer et du Canada étaient représentées; le syndicat représentait tout le personnel à l'exception de la direction et des ressortissants étrangers. Dans les années 70 et 80, le financement ne posait aucun problème et ONGI s'est développée progressivement.

Dès le début, ONGI a attiré des «croyants», mobilisés par l'idéal d'un monde plus équitable. Comme toute organisation sociale et de développement, ONGI était et est encore centrée surtout sur les valeurs.

Les principales décisions touchant la programmation étaient prises par le personnel dans chaque région, puis transmises à une réunion internationale du personnel appelée Forum, où se retrouvaient à la fois des représentants du personnel et des cadres de chaque région où ONGI oeuvrait. Les plans et budgets d'ONGI étaient adoptés au Forum, puis recommandés au conseil d'administration pour approbation finale. Le groupe des cadres, ceux et celles du siège social et des pays outre-mer, ne prenaient aucune décision sur la programmation, même si leur influence, en tant que membres du Forum, était considérable. Les réunions du Forum étaient souvent houleuses, secouées par les conflits politiques ou idéologiques dérivés des multiples loyautés à l'égard des programmes régionaux. Les premières années, il n'existait aucun programme global valable pour l'ensemble de l'organisation, seulement des programmes régionaux vaguement liés entre eux par l'énoncé de mission. On s'efforçait néanmoins d'arriver aux décisions par consensus et par consultation plutôt que par le vote.

Vers la fin des années 80, comprimant ses dépenses, l'ACDI a commencé a réduire sa subvention annuelle à ONGI. Dans ce nouveau climat financier, il est devenu clair que ONGI devait se donner : des buts et objectifs globaux, des critères régissant l'attribution et la réduction des fonds destinés aux programmes, des systèmes d'information et d'administration plus efficaces et une meilleure coordination. Les cadres ont alors commencé à coordonner ces champs d'activité, empiétant graduellement sur le territoire normalement occupé par les instances représentatives telles que le Forum semi-annuel.

Le Forum, novembre 1989

A l'été 1989, la direction prévoyait un déficit considérable et de nouvelles compressions fédérales. Le C.A. ayant demandé d'équilibrer le budget, la direction d'ONGI a songé à regrouper les structures administratives outre-mer et au Canada. Au début de septembre, les cadres se sont réunis en secret à quelques reprises pour étudier des réductions budgétaires pouvant inclure le licenciement du personnel, au siège social et ailleurs. Les réunions, tendues et difficiles, ont exigé plusieurs semaines de travail avant qu'on ne parvienne à une entente.

Tout l'automne, la direction générale a préparé le personnel à des compressions pouvant atteindre dix pour cent du budget de fonctionnement qui avait déjà été considérablement amputé. Des notes de service et des états financiers ont été envoyés partout dans le monde avec copie au syndicat. En dépit de tous ces efforts, à chaque réunion du personnel, les gens remettaient en question l'exactitude des chiffres : étaient-ils complets?

«Le syndicat était convaincu que ces communications visaient à préparer en douce le personnel en vue des licenciements. Une chargée de programme rappelle : «La méfiance à l'égard du budget était au coeur de la lutte. Beaucoup croyaient que la direction allait se servir du budget pour appuyer les réductions de personnel. Aussi le syndicat continuait-il à demander plus d'information. En fin de compte, nous avons découvert que les chiffres du budget étaient réels.»

Au Forum de novembre 1989, la tension était à son comble. Il fallait approuver le budget provisoire du prochain exercice financier avant de le présenter au conseil d'administration. En préparation du budget, la direction générale avait demandé à chacun et chacune de préparer un scénario incluant des compressions pour chaque région et pour le siège social. Le débat acrimonieux qui a suivi a remis en question les prémisses mêmes de l'opération et opposé les régions les unes aux autres. À l'évidence, seul un vote allait régler le différend; mais la direction allait l'emporter, puisqu'elle était en majorité. Pour éviter les conséquences dévastatrices évidentes d'un vote, la présidente a levé l'assemblée et renvoyé le problème à la direction.

La direction a pris le scénario défini plus ou moins par le Forum, et s'est préparée à le mettre en oeuvre. (Il comprenait la réduction des effectifs et la fermeture de bureaux au Canada et à l'étranger.) Au Canada, le personnel des régions, les représentants syndicaux et d'autres membres ont exercé de fortes pressions sur le C.A. pour qu'il rejette le plan de la direction, ce qui est arrivé en février 1990. Le C.A. a alors demandé à la direction de faire l'examen des activités d'ONGI au Canada et de lui faire rapport dans six mois.

Dans son rapport, la direction adoptait la position du personnel des régions au Canada et du C.A. : la mission d'ONGI et ses buts stratégiques donnaient priorité à l'édification d'une meilleure base de soutien au Canada. Il fallait donc allouer plus d'argent aux activités au Canada. Le rapport fut présenté au Forum en juin 1990, devant une assemblée tendue et polarisée. Toutefois, l'assemblée devait recommander un plan et un budget au C.A. Après avoir étudié divers choix, il a été proposé de réduire les ressources du siège social, d'augmenter légèrement celles destinées aux activités canadiennes et de maintenir en gros la même programmation outre-mer. Ces modifications budgétaires s'appuyaient sur le rapport sur les activités canadiennes.

Le conseil d'administration a accepté ce plan, y ajoutant quelques modifications. Or, le personnel du siège social a été choqué et extrêmement irrité par ce résultat. Comme l'explique un employé :

Les objectifs du changement n'étaient pas clairs ou n'avaient fait l'objet d'aucun accord. Alors les gens s'en sont pris au budget, en particulier à la réduction du budget du siège social. De quel droit le C.A. prenait-il ce genre de décision? Personne ne reconnaissait de légitimité au C.A. à ce chapitre. Il était composé des mêmes groupes d'intérêt issus des régions du Canada. Il n'était pas notre défenseur. Qui défendait le personnel du siège social?

Avec la décision du conseil d'administration, la restructuration et le changement organisationnel devenaient maintenant inévitables. ONGI savait désormais quelles approches étaient acceptables et lesquelles ne l'étaient pas. La décision soulignait l'importance de prêter attention aux membres d'ONGI, une base de soutien devant laquelle les membres régionaux canadiens du C.A. étaient imputables. Une nouvelle coalition politique composée du syndicat, de membres du C.A. et du personnel régional canadien s'était formée et avait réussi à manoeuvrer plus habilement que la direction. Celle-ci était maintenant isolée du conseil d'administration et avait effectivement perdu tout pouvoir. Le directeur général démissionna l'été suivant, laissant à son successeur la tâche ingrate de réduire les effectifs au siège social.

Analyse de cas

Cette tentative de changement organisationnel n'a pas atteint ses objectifs : restructurer et réduire. L'échec a déchaîné des forces et des conflits puissants qu'il fallait résoudre pour réussir le processus de transformation. Qu'est-ce qui a empêché des gens, par ailleurs compétents et engagés, de résoudre ces conflits? Que nous enseignent ces événements au sujet de la culture organisationnelle?

Roger Harrison, consultant américain en gestion, a défini à grands traits les différentes cultures organisationnelles.[5] Sa définition nous aide à comprendre ONGI. Un de ces traits est la culture «politique», une culture qui n'est pas centrée sur l'autorité ou la réalisation d'une tâche, mais sur l'attachement à des valeurs particulières.

La culture d'ONGI comportait plusieurs éléments d'une culture politique. Elle accordait plus de valeur au droit de participer aux décisions qu'au droit de la direction de gérer. En matière de prise de décision, la culture d'ONGI était participative; personne ne s'attendait à ce que les cadres décident derrière des portes closes. ONGI préférait les structures décentralisées, plus compatibles avec sa philosophie du développement. Elle valorisait aussi l'engagement personnel vis-à-vis des valeurs énoncées dans la mission. Les conflits de nature politique et idéologique étaient courants; et il était tout aussi admis que le personnel, le syndicat et les membres exercent un lobby sur le conseil d'administration.

Dans la culture politique d'ONGI, l'engagement et la participation occupaient la première place; c'était une culture égalitaire et peu institutionnalisée. Or, le plan de la direction et la décision adoptée en vue du changement étaient imposés par le haut. Invitant peu la participation, ils allaient totalement à l'encontre de la culture organisationnelle d'ONGI. Et ils reflétaient le désir de contourner cette structure décisionnelle rigide, qui prenait beaucoup de temps et générait beaucoup de conflits.

Dans cette culture organisationnelle, la direction n'avait ni la légitimité nécessaire pour mettre en oeuvre son plan sans l'appui du personnel, ni l'autorité qu'il fallait pour prendre ces décisions sans l'appui des membres des régions représentées au C.A.

Étude de cas

ONGI, phase deux

Une nouvelle ère : cicatrisation des blessures

La nouvelle directrice générale est arrivée dans une organisation meurtrie par plusieurs années de conflits. Elle arrivait de l'extérieur et son style de leadership était très différent de celui de son prédécessur. Elle a demandé au conseil d'administration de prolonger la période de mise en oeuvre des réductions et a entrepris de rebâtir les relations détruites. Elle décrit ainsi son expérience :

J'étais enthousiaste face au défi. Je ne connaissais ni l'organisation ni les gens qui y travaillaient. Je ne connaissais ni leurs prises de position ni la dynamique interne. A mon avis, le principal problème c'était la tension entre le syndicat et la direction et entre le conseil d'administration et la direction. Il y avait aussi des tensions au sein de l'équipe de direction -beaucoup de vieilles histoires. Ca n'a pas été facile. J'ai eu du mal à découvrir la culture. J'essaie toujours de travailler avec la culture, avec ce qui existe déjà. Je m'étais jointe à une organisation qui venait de consacrer cinq ans à définir sa vision, une vision en laquelle je croyais. Ce n'est pas mon genre de promouvoir ma propre vision. De toute manière, cela n'aurait pas fonctionné à ONGI. Les gens ont mis du temps à comprendre mon style. Une partie du problème, c'est que les gens manquaient de confiance. Je dis toujours que si nous nous sommes mis dans ce pétrin, nous pouvons nous en sortir. Si nous n'arrivons pas à résoudre nos problèmes, alors qui le fera pour nous?

Le personnel s'est montré très réceptif à ce style ouvert et transparent. La nouvelle directrice générale circulait dans le bureau, prenant contact avec les cadres et le personnel, les secrétaires et les responsables des programmes. Les rumeurs recueillies durant ses voyages, elle les rapportait aux réunions du personnel et en discutait. Elle a pris la parole à des réunions syndicales et a légitimé les questions syndicales en veillant à les inscrire à l'ordre du jour de l'organisation. Les représentants syndicaux ont été invités aux réunions organisationnelles, ce qui a aidé à révéler les tensions puis à les atténuer. La discussion s'est ouverte sur les hypothèses et les comportements destructeurs qui avaient fait déraper l'organisation. Les rôles respectifs des cadres, du syndicat et du conseil d'administration ont été précisés et l'unité a progressé. La directrice générale a insisté à maintes reprises sur le fait qu'ONGI était une seule organisation, et non sept organisations, et que la seule façon de survivre était de travailler ensemble à un but commun.

Cette réhabilitation était essentielle, puisqu'elle préparait le terrain aux difficiles décisions à venir. Mais elle ne suffisait pas pour pousser ONGI à prendre ces décisions. Pour cela, il a fallu une poussée de l'extérieur.

Cette poussée est venue deux jours après le début de l'exercice financier, quelques heures après la fin d'une pénible réunion de planification et d'établissement du budget. Un appel de l'ACDI informait la directrice d'importantes compressions au programme outre-mer d'ONGI. Désormais, c'était clair, toute l'organisation allait devoir changer, pas seulement le siège. Des décisions d'une telle ampleur exigeaient que l'on s'entende sur des principes, des critères de programmation et des mécanismes équitables.

Gérer le changement organisationnel

Il a fallu plusieurs essais et quelques échecs avant de mettre en place un processus et une structure de changement qui fonctionnent. Parmi les échecs, on compte ceux des sous-comités présidés par les cadres et du «comité de changement organisationnel». Comme d'autres structures officielles précédentes, le comité s'est enlisé parce qu'il représentait un seul point de vue, qu'il lui était difficile de susciter un consensus, qu'il manquait de motivation et de ressources pour agir; de leur côté, les cadres étaient trop occupés par leur travail pour consacrer suffisamment de temps à ce comité. Après avoir tourné en rond pendant deux mois, le comité a été aboli par la directrice.

Une «équipe du changement», composée d'un consultant et de trois employés provisoirement détachés de leurs fonctions, a été chargée de développer l'énergie et la dynamique pouvant mener aux décisions dans les délais fixés. L'équipe du changement rendait compte à la directrice générale uniquement, et aucun cadre n'en faisait partie. Les trois employés, hommes et femmes anciennement leaders syndicaux, se sont montrés intéressés à cette tâche après que le syndicat eut décidé de collaborer au changement. Une des cadres décrit ainsi le changement d'attitude :

> *La mise en place d'une équipe du changement à plein temps a été un point tournant. Le syndicat était ouvert puisque trois de ses leaders avaient postulé. La directrice générale a été assez sage pour accepter cela. Cela a permis de débloquer la situation en faisant tomber deux obstacles majeurs : la division syndicat-cadres et la division conseil d'administration-cadres. En effet, une des employées, à la fois chef syndicale et membre du conseil d'administration, était proche de certains membres influents du conseil d'administration qui critiquaient sévèrement les cadres.*

L'équipe du changement devait, essentiellement, bâtir un consensus dans l'ensemble de l'organisation, en particulier au siège social. Elle a fait participer les gens, communiquer les services entre eux et actionné un brassage d'idées sur le contenu du changement. Cette façon de faire était en soi plus compatible avec les valeurs avouées d'ONGI. Un agent de programme décrit le processus :

> *Dans les réunions, on arrivait à surmonter les obstacles traditionnels; il y avait des luttes, mais elles se livraient face à face plutôt qu'en petits groupes. ONGI est atteinte de conformisme idéologique, les gens évitent toute confrontation ouverte ou, pire encore, ils ne tiennent aucun compte de ceux et celles qui ne sont pas d'accord. Pour obtenir une véritable participation, il faut surmonter les obstacles à la participation égale : obstacles d'ordre intellectuel, liés aux rapports femmes-hommes, hiérarchiques (personnel de soutien contre gestionnaires de programmes). Les gens doivent avoir confiance en eux-mêmes pour s'exprimer. Les réunions inter-services ont été une bonne chose.*

L'approche est intéressante parce qu'elle contourne les structures décisionnelles habituelles : réunions des cadres, Forum du personnel et autres structures représentatives du personnel. La directrice générale a préféré une structure basée sur des principes différents et parallèle plutôt qu'intégrée aux structures en place. Pour les réunions spéciales de planification et de transition, on a invité les personnes non en fonction du poste, de la région ou des gens qu'elles représentaient, mais en fonction de leur capacité de contribuer au changement, c'est-à-dire de créer, de résoudre les problèmes et de travailler pour le bien de l'ensemble de l'ONG.

En octobre 1991, l'une de ces réunions a débouché sur la proposition d'une nouvelle structure, réduite, pour le siège social. Cette «réunion» devait rendre compte à la directrice et, par elle, au C.A. Une fois le plan approuvé par le conseil d'administration, les cadres ont précisé les détails de la réduction et préparé avec le syndicat la mise en oeuvre des changements. Près de vingt pour cent des employés du siège social, et d'autres régions, ont offert de quitter ONGI. Il n'y a eu aucun départ involontaire. D'autres services ont été restructurés, de nouveaux services ajoutés et une structure matricielle mise en place pour les principales fonctions de programmation. La restructuration achevée au siège social, le sentiment de réussite était vif et grande la fierté d'avoir surmonté une crise organisationnelle majeure.

Leçons tirées par ONGI du changement organisationnel

- Les gens qui ne sont pas responsables d'un changement se considèrent parfois comme des «victimes» – elles sont inquiètes, déconcertées et en colère.

- Il faut à tout prix établir une communication transparente, ouverte, régulière et claire avec le personnel et les membres. Présentez les faits, discutez des rumeurs et répondez aux questions. Réunissez le personnel, communiquez par écrit, rencontrez les individus. Offrez beaucoup de soutien.

- Définissez clairement quelle information est publique et ce qui doit demeurer confidentiel.

- Respectez des politiques, des critères et des mécanismes clairs de manière que le changement englobe le programme et l'embauche du personnel. Évitez les négociations improvisées ou particulières.

- Trouvez l'équilibre entre la consultation-participation d'une part, et l'efficacité des décisions d'autre part. Un processus qui traîne fait grimper les coûts et augmenter le stress, mais la participation est essentielle. Établissez les échéances, l'identité des gens qui prendront la décision finale et les responsabilités de chaque personne.

- Repérez les problèmes avant qu'ils ne dégénèrent, au moyen du suivi et de l'évaluation. Soyez disposé à écouter et à résoudre les problèmes.

- Surveillez la charge de travail du personnel. En période de transition, s'adapter aux nouvelles tâches sans laisser tomber complètement les anciennes ajoute au stress et exige plus de temps.

- Affectez des ressources additionnelles pour la transition : recherche, planification, formation et soutien durant le deuil alors que les gens abandonnent les anciennes façons de faire et qu'ils font leurs adieux à ceux et celles qui partent.

- Examinez toutes les solutions de rechange avant de licencier, surtout les personnes qui ne veulent pas partir.

- Traitez le changement comme un «programme» et allouez-y le temps et les ressources nécessaires. Rebâtir une organisation n'est pas quelque chose qu'on fait «en plus».

Qu'est-ce qui différencie ce processus du précédent?

Analyse de cas

- Le changement de leadership a fait baisser la tension des relations polarisées par les conflits. La directrice générale a travaillé à partir de valeurs explicitement féministes et elle a clairement exposé ses principes de gestion : ouverture, traitement équitable, inclusion, unité, responsabilités bien délimitées et partagées, et engagement vis-à-vis des personnes d'abord. En même temps, elle a veillé à ce que les décisions soient prises dans les limites prévues. Elle intervenait dès qu'un processus échouait.

- La coalition politique qui avait fait échouer le plan précédent s'est jointe cette fois au processus de changement; de toute évidence, le C.A. prenait maintenant l'initiative. La relation entre la direction et le conseil d'administration a été rebâtie grâce à l'intervention directe de la directrice et à l'aide venue de l'extérieur. Cette fois, tous savaient qui prenait les décisions et quels en étaient les critères.

- Comme première décision, la direction a amputé une partie de la structure régionale au Canada, dont les membres exerçaient une grande influence sur le C.A. C'est cette base de membres qui avait fait échouer la première tentative de changement. Par contre, ni les membres, ni le personnel des régions n'ont contesté la deuxième tentative de changement. En fait, c'est le contraire qui s'est produit : le conseil d'administration a accepté de réduire la bureaucratie centrale, considérée comme trop riche par plusieurs.

- Le syndicat a été invité à participer au processus de changement en tant que collègue plutôt qu'en tant qu'adversaire, avec l'appui de la directrice.

- Le changement s'est fait hors des structures décisionnelles établies, court-circuitant les comportements incrustés et les obstacles structuraux. L'équipe du changement, véritable «agente de changement», a bénéficié d'une grande légitimité organisationnelle en raison de ses liens avec le personnel ainsi qu'avec le syndicat et le conseil d'administration.

La deuxième tentative de changement a misé sur la participation et la transparence, deux principes organisationnels. Le syndicat et les cadres ont eu pleinement accès aux travaux de l'équipe du changement par le biais de la directrice générale et grâce à une communication régulière. Bien que le rôle joué par le personnel du siège social ait été plus important, l'accent a toujours été mis sur la cohérence organisationnelle. La réduction des effectifs s'étant faite en même temps que le renforcement des principes régissant le programme et que la modification des lignes directrices, tous les programmes ont pu s'insérer clairement dans la mission de l'organisation et en respecter les priorités. Ce travail s'est poursuivi même après les changements au siège social, il a développé sa propre dynamique, ses propres dilemmes. Avec le recul, on peut dire que l'absence d'une contribution plus substantielle des régions, à la restructuration du siège, a affaibli certaines des nouvelles structures qui auraient eu besoin de la collaboration des régions.

Le changement et la restructuration ont constitué, pour plusieurs, l'occasion d'un départ volontaire. Quand une organisation change d'orientation, il y a toujours des employés qui décident de ne plus en faire partie. Le personnel se renouvelle, par suite d'un départ, d'un retour aux études ou de l'accession à un nouveau poste. La générosité des indemnités de départ a facilité ces décisions personnelles.

Finalement, le problème de la gestion à ONGI a été réglé au moyen d'interventions planifiées (journées d'étude C.A. – personnel, consolidation de l'équipe de direction). Le rôle de la direction de même que sa légitimité ont été précisés. Parmi ces interventions, certaines ont eu lieu dans le cadre de la planification stratégique; d'autres visaient à réconcilier d'anciens opposants. A mesure que la confiance renaissait et que se dissipaient les nuages, on a pu laisser tomber le blâme et l'attitude défensive qui caractérisaient le comportement antérieur.

Le Forum du personnel ne s'est plus réuni. Une grande partie de ses fonctions de programmation et de fonctionnement ont été assumées, sans controverse, par l'équipe de direction maintenant revitalisée. L'organisation avait atteint un équilibre plus sain entre contrôle et flexibilité.

Cette double expérience d'ONGI met en relief d'importants aspects du changement et de la culture organisationnels. D'abord il faut comprendre la culture de l'organisation, composer avec elle au lieu de s'y opposer. Pour cela, on doit apprendre à faire remonter à la surface les hypothèses et les valeurs sousjacentes qui dictent les comportements individuels et collectifs qui alimentent le conflit entourant le changement. (Parfois, ce changement de culture est un résultat imprévu d'un changement planifié.) Il est parfois difficile pour les gens à l'intérieur de l'organisation de réaliser cela sans une aide extérieure.

En résumé, la culture est la trame des croyances, des valeurs et des méthodes de travail, conscientes ou inconscientes, qui peuvent soit entraver le changement, soit le faciliter. Ces manifestations de la culture sont souvent corroborées par les leaders qui en constituent des exemples explicites. La culture définit aussi le mode de gestion et de diffusion du pouvoir au sein de l'organisation. Composer avec la culture signifie gérer le pouvoir, en particulier dans une ONG politisée où l'on préfère, pour résoudre un problème, former une coalition d'intérêts plutôt que d'affronter les personnes. Ce faisant, on remplace en partie l'ancien comportement par un nouveau comportement et la culture elle-même change. Une organisation plus forte et renouvelée sera mieux placée pour gérer les changements qui l'attendent.

Références

1. Cooper, C.L., & Mangham I., *T-Groups, A Survey of Research*, Toronto, Wiley, 1971; Schultz, W., «The Effects of a T-Group Laboratory on Interpersonal Behaviour», Journal of Applied Behavioural Science, 2, 1966.

2. Hampden-Turner, C., *La culture d'entreprise : des cercles vicieux aux cercles vertueux,* Éditions du seuil, Paris, 1992; Handy, C., *The Gods of Management*, London, Souvenir Press, 1978; Sackmann, S., *Cultural Knowledge in Organisations: Exploring the Collective Mind*, Beverly Hills, Sage; 1991; Schien, E., *Organisational Culture and Leadership*, 2e éd., San Francisco, Jossey-Bass, 1992.

3. Schein, E., *op. cit.*

4. Greiner, L., & Schein, V., *Power and Organizational Development: Mobilizing Power to Implement Change*, Reading, Addison-Wesley, 1988.

5. Harrison, R., «Understanding Your Organization's Character», *Harvard Business Review*, mai-juin 1972.

L'élaboration de la stratégie

4

COMMUNAUTÉS INTERNATIONAL EST UNE ONG DE TAILLE MOYENNE qui a son siège social au Canada et de nombreux bureaux à l'étranger. Elle vient de terminer sa planification stratégique annuelle. Chaque année, en février, sous le leadership d'une direction générale visionnaire, l'équipe de planification et d'orientation révise le plan stratégique, étudie les rapports annuels des régions et tente de prévoir ce qui influera sur l'activité de l'organisation. Elle rédige ensuite le plan stratégique final qui sera mis en oeuvre par le service des programmes. Des rapports d'activité réguliers compareront les résultats aux critères prévus dans le plan.[*]

Qu'est-ce qui cloche dans ce scénario?

C'est qu'il n'a rien à voir avec la planification stratégique, c'est un fantasme patriarcal de contrôle. Peu d'ONG planifient de cette manière, mais ce fantasme traduit la planification stratégique dont rêvent beaucoup de gens. Modèle de gestion efficace des années 60 et 70, il continue d'être l'idéal des gestionnaires, même si rien ne prouve qu'il augmente vraiment l'efficacité organisationnelle. Aaron Wildavsky explique : «... on ne

---

[*]Communautés International est une ONG fictive.

préconise pas la planification pour les résultats qu'elle apporte, mais pour la rationalité qu'elle symbolise. La planification, c'est l'intelligence appliquée aux problèmes sociaux... Si la planification est une bonne chose, c'est parce qu'elle est plus systématique que hasardeuse, plus efficace que gaspilleuse, plus coordonnée que désordonnée, plus logique que contradictoire et, par-dessus tout, plus rationnelle que déraisonnable.»[1]

La planification stratégique se veut un mécanisme pouvant assurer le contrôle et l'imputabilité. Pourtant, ce contrôle est largement illusoire.

Depuis une dizaine d'années, toute organisation sérieuse doit avoir son plan stratégique, même si certains cadres éprouvent quelque réticence à l'idée d'importer, dans leur ONG, cette technique du secteur privé. Le personnel considère souvent la planification stratégique comme centralisatrice et contrôlante; certains conseils d'administration y ont fait bon accueil, d'autres se sont rebiffés devant la formalité qu'elle constitue et le temps qu'elle exige. Les donateurs et les C.A. s'y intéressent principalement parce qu'elle assurerait le contrôle et l'imputabilité de la structure. Pourtant, ce contrôle est parfois largement illusoire.

Par la planification stratégique, toute la complexité des tâches et des relations organisationnelles est ramenée à des enjeux, forces, faiblesses, orientations, buts, objectifs, activités, calendriers et indicateurs de succès, tous «stratégiques» et soigneusement décrits et si possible mesurables. Le tout est ensuite comprimé dans un texte par des analystes et des planificateurs souvent éloignés de «la ligne de front», puis imposé aux cadres et au personnel sur le terrain.

La pensée, la planification et la gestion stratégiques peuvent être très utiles, mais quelle formule d'élaboration de la stratégie convient le mieux aux ONG et aux organisations volontaires?

Aujourd'hui, l'élaboration d'une stratégie doit procéder d'un apprentissage précis fondé sur l'expérience et mûri par le dialogue, par la réflexion et la discussion. Elle doit distiller l'expérience que les individus et l'organisation ont acquise au fil des échecs et des succès, des conflits et de l'interaction avec le monde. Cet apprentissage crée un nouveau savoir, il est transformation.

Qu'est-ce que la stratégie?

La stratégie, c'est essentiellement le *comment,* la méthode utilisée pour accomplir la mission. La stratégie fixe les choix fondamentaux qui président à l'utilisation des ressources organisationnelles et à la routine quotidienne. Dans les milieux d'affaires la stratégie vise à obtenir l'avantage sur les concurrents. Qu'une ONG tente ou non d'obtenir l'avantage sur ses concurrents, elle doit démontrer qu'elle mérite l'appui de ses partenaires, des bailleurs de fonds, des bénévoles et du personnel, et que les fonds publics et les énergies humaines sont utilisés à bon escient.

Le mot stratégie a de nombreuses significations. La section qui suit décrit les deux aspects que comporte, à notre avis, ce terme.

D'abord, la stratégie comporte la notion de *positionnement.* Dans le secteur privé, la position a trait au créneau du marché. Dans le secteur public, elle a trait au service, à l'expertise que l'ONG offre suivant ses compétences; elle définit ce que vous faites. Une ONG de développement international se positionne, par exemple, pour appuyer le développement de coopératives, ou l'adoption de mesures de protection environnementale ou la surveillance des droits de la personne.

Ensuite, la stratégie comporte la notion de *perspective.*[2] La perspective réfère à l'ensemble particulier de valeurs et de modes de fonctionnement qui définissent «la manière d'être» de l'ONG. La perspective découle de notre expérience, de ce que nous avons appris de notre travail. C'est la connaissance résultant d'un dialogue soutenu entre l'action et la réflexion. C'est l'amalgame de ce qu'on apprend avec les autres. Quand on applique sa perspective dans la pratique, on pose des limites au travail qu'on réalisera et à la manière dont on le réalisera; on fait des choix stratégiques et, dans beaucoup de cas, des choix éthiques.

Par exemple, un Service de santé publique repense sa mission et sa manière de la réaliser. Après une longue réflexion, il décide de consacrer plus de ressources à la prévention et à l'éducation, et de réduire les soins infirmiers. Cette décision reflétait un changement de position. Elle exigeait un changement de perspective analogue. Le Service a dû dès lors se rapprocher du

La stratégie, c'est essentiellement le *comment,* la méthode utilisée pour accomplir la mission. La stratégie fixe les choix fondamentaux qui président à l'utilisation des ressources organisationnelles et à la routine quotidienne.

La stratégie comporte les notions de positionnement et de perspective. La position a trait au service, à l'expertise que l'ONG offre. **La perspective** réfère aux valeurs et aux modes de fonctionnement qui découlent de l'expérience, de la connaissance et du dialogue.

milieu desservi et lui rendre des comptes. Il a donc mis sur pied des conseils de santé régionaux, il a décentralisé des activités et il s'est restructuré en équipes multidisciplinaires.

Planification stratégique et gestion stratégique

Toute organisation possède une stratégie, implicite ou explicite. La stratégie implicite transparaît dans la manière dont l'organisation définit ses activités, dans ses choix budgétaires et dans le souci de suivre à quoi les gens consacrent leur temps de travail.

Planification stratégique

La planification stratégique est l'ensemble des procédés analytiques formels visant à élaborer un «plan».

La planification stratégique est l'ensemble des procédés analytiques formels visant à élaborer un «plan». Il existe plusieurs méthodes de planification stratégique ; la plupart comportent dix étapes :

1. Analyse des capacités internes – les forces, les faiblesses;

2. Analyse du milieu externe pour déterminer les dangers et les possibilités; garder l'oeil sur la concurrence et les besoins de la clientèle;

3. Analyse des activités courantes et des possibilités à venir;

4. Définition d'une mission, d'une vision ou d'un énoncé de principes;

5. Établissement d'une stratégie incluant la position et la perspective;

6. Définition d'objectifs organisationnels dans le cadre de cette stratégie;

7. Discussion avec les différentes composantes de l'organisation en vue de susciter l'engagement; communication du plan;

8. Élaboration d'objectifs subordonnés, pour chaque composante;

9. Harmonisation du budget et du plan;

10. Contrôle de la performance.

Voilà qui paraît bien! Mais la méthode aide-t-elle l'ONG à mieux travailler? Ces dernières années, on a de beaucoup critiqué les hypothèses sous-jacentes de la planification stratégique de même que certaines de ses pratiques. Dans un récent ouvrage, un professeur de gestion de l'Université McGill, Henry Mintzberg, passe en revue la recherche actuelle sur l'efficacité de la planification stratégique. À son avis, la méthode ne semble pas augmenter la performance.[3] Il cite J. A. Pearce qui résume ainsi dix-sept ans de recherche sur la question : « au mieux, [la planification stratégique] peut convenir à certains contextes, tels que les grandes organisations, celles qui font de la production en masse, etc.»[4]

La planification formelle a pourtant des avantages : elle impose un temps d'arrêt pour réfléchir et elle concentre l'attention sur la stratégie.

Alors, pourquoi la planification stratégique n'a-t-elle pas donné les résultats escomptés? À notre avis, cela tient en partie à sa logique formelle, à son éloignement du terrain et à son manque de souplesse. La planification stratégique incite à ajouter de petits éléments au plan existant, mais n'incite pas à «repartir à zéro». La rationalité qui la sous-tend manipule l'information et la passe au crible pour qu'elle concorde avec des objectifs précis. Le passage au crible élimine parfois d'importantes sources d'apprentissage, le savoir plus profond et plus implicite, parfois intuitif, qui découle de l'expérience et de nos sentiments vis-à-vis du travail. Or, cette expérience concerne autant nos relations avec les partenaires, le personnel, les membres et les donateurs que les programmes de développement traditionnels. Ainsi la planification stratégique risque de nous empêcher de garder l'esprit ouvert face à d'autres manières de comprendre qui sont importantes.[5]

Souvent, la planification stratégique centralise, en plus de coordonner. Dans beaucoup de grandes organisations, la planification est confiée aux spécialistes du siège social qui possèdent, croiton, une vue d'ensemble de l'organisation. Cette division du travail est logique à certains égards, mais elle sous-estime l'apprentissage par l'expérience, qui constitue pourtant une incroyable source de savoir, si riche pour l'élaboration d'une stratégie. La planification centralisée et rationnelle élimine d'autres façons de prendre des décisions.

La prise de décision ne procède pas toujours de la rationalité analytique. La recherche confirme ce que tout le monde sait : les décisions procèdent souvent d'un équilibrage entre des objectifs multiples et contraires, des coalitions politiques, des compromis, des intuitions et des ententes de dernière minute. La plupart des ONG élaborent leur stratégie en dehors du cadre de planification. Après des années de recherche et de consultation en gestion, James Quinn conclut :

> L'élaboration de la stratégie.... tend à s'écarter beaucoup des méthodes habituelles proposées dans les manuels.... et pour de bonnes raisons. Le processus menant à la stratégie globale est habituellement fragmenté, progressif et en grande partie intuitif... Dans les organisations bien dirigées, les cadres guident ces courants et ces événements vers des stratégies conscientes...Loin de s'écarter d'une bonne pratique de gestion, [cette méthode] constitue sans doute le meilleur modèle normatif de prise de décision stratégique.[6]

Faut-il donc écarter la planification stratégique comme une simple mode? Non, car de nombreuses ONG et organisations volontaires ont constaté que l'élaboration explicite d'une stratégie leur a ouvert des horizons insoupçonnés. L'efficacité dépend de l'approche adoptée.

La gestion stratégique

La gestion stratégique est un mode de gestion non limité par les échéances comme le sont les exercices de planification; c'est une approche plus holistique.

Contrairement à la planification stratégique, la gestion stratégique est un mode de gestion non limité par les échéances; la gestion stratégique est plus holistique. Ceux et celles qui pratiquent une gestion stratégique sont en contact avec différents niveaux de leur milieu. Ils écoutent et observent, réfléchissant sans cesse à ce qu'ils voient et entendent, cherchant d'autres choix possibles, des façons d'améliorer tel ou tel aspect et se demandant sans arrêt si le travail vise l'essentiel. Autrement dit et contrairement à la planification stratégique, la gestion stratégique se pratique à l'année longue.

Plusieurs ONG avec lesquelles nous avons travaillé ont investi, avec profit, énormément de temps dans la gestion stratégique. Voici cinq avantages qu'elles en ont retirés :

- Elles avancent autrement quand les circonstances changent rapidement;

- Elles concentrent leurs maigres ressources dans les domaines prioritaires;

- Le conseil d'administration s'est engagé à mieux comprendre l'organisation et à offrir un leadership plus complet, plus éclairé;

- Des contradictions et des conflits accumulés au fil des ans ont été clarifiés ou résolus; la cohérence organisationnelle est plus grande;

- L'organisation est dynamisée par le questionnement, par l'apprentissage et par l'utilisation de l'énergie créatrice.

Comment une ONG doit-elle penser à la gestion stratégique? Voici sept critères, pour élaborer une stratégie efficace :

Critères régissant la gestion stratégique

1. L'élaboration de la stratégie doit captiver l'attention du C.A., de la direction et du personnel des programmes sur cinq grandes questions : pourquoi l'organisation existe-t-elle, qui sert-elle, où sert-elle, comment prévoit-elle offrir ses services, et la stratégie actuelle fonctionne-t-elle?

2. Elle doit maintenir l'équilibre entre l'analyse, l'intuition et les idées qui émergent au fur et à mesure.

3. Elle doit utiliser au maximum toutes les informations et tout le savoir résultant de l'expérience des partenaires, du personnel de première ligne et des cadres.

4. Elle doit combiner les acquis périodiques des journées d'étude avec le caractère immédiat des questions pratiques quotidiennes.

5. Elle doit prêter attention à la dimension politique et à la dynamique de l'organisation afin de pouvoir concilier diverses perspectives. La participation et l'engagement sont cruciaux.

6. Le contrôle stratégique qu'il faut dans une usine très structurée n'est ni possible ni souhaitable dans une ONG. La spécificité des plans doit être à la mesure de ce fait.

7. La gestion doit être souple et dynamique, afin de s'adapter à la situation changeante. Il ne suffit pas d'avoir un plan stratégique : la mise en oeuvre et la mise à jour du plan ainsi que la manière de réagir aux situations changeantes, sont des aspects critiques de l'élaboration de la stratégie.

Comment les ONG doivent-elles s'y prendre?

Considérons d'abord l'élaboration d'une stratégie comme une excellente occasion d'apprendre et de se renouveler. Pour une ONG de développement international, la stratégie doit être rassembleuse des différentes cultures et nationalités ainsi que de tous les niveaux de l'organisation. La façon de faire est très importante! Une stratégie qui respire avec l'organisation exige la participation de chacun et chacune, pas seulement une consultation purement formelle.

On a beaucoup écrit sur la question mais pour l'essentiel, la gestion stratégique comporte quatre dimensions interreliées : (voir le diagramme ci-desous)

La réalisation de ces quatre dimensions ne suit pas nécessairement un ordre particulier. Dans la plupart des ONG, la mission, les valeurs et la vision restent les mêmes pendant des années, tandis que d'autres dimensions sont révisées pour tenir compte du milieu et de la mise en oeuvre concrète de la stratégie sur le terrain. Les flèches indiquent que les quatre dimensions sont reliées et qu'un changement apporté à l'une nécessite ou entraîne parfois des changements aux autres.

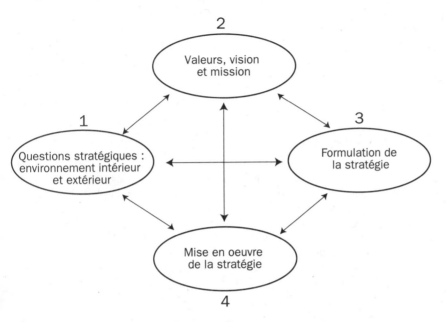

Il est très important que le C.A. soit associé aux quatre dimensions de la gestion stratégique, bien que ce soit la direction et le personnel qui aient le rôle principal.

I Les questions stratégiques

Définir les questions stratégiques revient à cerner les principaux dilemmes, ceux qui sont susceptibles soit de renouveler l'ONG en profondeur, soit de la mettre en péril. Les questions stratégiques sont les grandes orientations politiques choisies par l'ONG. Elles sont à la fois pratiques et éthiques. La gestion stratégique a pour tâche d'amener au grand jour ces dilemmes et ces orientations afin que l'ONG puisse les gérer et les résoudre.

Voici quatre questions stratégiques, parmi d'autres :

• Dépendance : La dépendanc e démesurée vis-à-vis d'une source financière est une question cruciale qui touche la survie. Les récentes compressions imposées par le fédéral à certains secteurs du développement international ont mis en lumière un des dilemmes de la relation ONG-État.

Les questions stratégiques : les principaux dilemmes qui sont susceptibles soit de renouveler l'ONG en profondeur, soit de la mettre en péril.

- Éthique de la collecte de fonds : Il arrive qu'une ONG vive un dilemme lorsque sa collecte de fonds ne concorde pas avec ses valeurs les plus profondes ou avec ses nouveaux programmes. Ainsi, de nombreuses ONG de développement international ne se servent plus des photos d'enfants affamés pour recueillir des fonds parce que ces images, bien qu'efficaces, entretiennent les stéréotypes de victimes vulnérables et impuissantes accolés aux populations du Sud. Ces images masquent le courage de ces populations, leur dignité et leur débrouillardise. Cette décision morale peut cependant entraîner une baisse de revenus et, par conséquent, moins de fonds pour les programmes outre-mer. Comment une ONG réagit-elle face à ces valeurs et à ces besoins contradictoires?

- Représentation : Beaucoup d'ONG sont conscientes de l'importance de participer à l'élaboration des politiques. Mais les gouvernements du Nord exercent de moins en moins d'influence sur l'économie nationale et internationale. Quels choix stratégiques s'offrent alors aux ONG?

- Éthique de programmation : Les ONG de développement font souvent face à des dilemmes où s'opposent différentes valeurs. La manière de poser et de comprendre ces dilemmes a parfois de graves conséquences sur le suivi. Par exemple, une ONG appuyant des femmes d'Asie du Sud découvre que quarante pour cent des revenus qu'elles gagnent, grâce aux activités rémunératrices qu'elle a proposées, étaient remis à l'homme chef de famille. Que faire? Faut-il intervenir en fonction de l'objectif principal, qui est de promouvoir l'égalité et la situation économique des femmes? Ou faut-il respecter les traditions de la collectivité? Quels effets aurait son intervention sur les femmes? Le dilemme concerne-t-il les valeurs d'une collectivité ou l'inégalité et le pouvoir?

Pour que la gestion soit efficace, il faut que la définition des questions stratégiques, et l'action qui s'ensuit, soient continues. C'est aux cadres supérieurs qu'il revient de veiller à ce que les questions stratégiques soient signalées, étudiées et gérées.

II Vision, valeurs et mission

Cette dimension définit ce qui importe le plus à l'organisation, son public cible et les moyens pris pour atteindre ses objectifs, et non pas simplement quels programmes elle prévoit pour l'année prochaine. Elle concerne l'essentiel : pourquoi l'ONG existe et vers où elle se dirige. La réponse à ces questions exige une réflexion collective, l'élaboration d'une vision et d'une analyse à laquelle toutes les personnes travaillant avec l'ONG ou liées à elle doivent être associées. Cela constituera peut-être l'amorce de l'élaboration de la stratégie de l'ONG qui puise à différentes sources d'information, d'expériences et de points de vue, en vue d'examiner ce qui se passe dans le monde, ses propres forces et faiblesses, l'efficacité de ses programmes actuels et les valeurs qui lui tiennent à coeur. La vision, les valeurs et la mission concernent également les rapports de l'ONG avec l'État, sa base et ses donateurs, son caractère bénévole, de même que le rôle du conseil d'administration et son imputabilité. Une ONG décrit cette étape dans ces mots: «nous cherchons à comprendre qui nous sommes et où nous nous situons moralement, en tant qu'individus, dans le contexte actuel de cette planète qui est la nôtre.»

La définition de la vision, des valeurs et de la mission se fait en associant le personnel, le conseil d'administration, les membres et les partenaires, au moyen de sondages, d'ateliers, d'enquêtes-conférences, de débats et de conférences électroniques.

Vision, valeurs et mission : ce qui importe le plus à l'organisation.

Pour définir sa mission, une ONG a créé un comité composé de femmes et d'hommes employés et membres du C.A., ainsi que d'une équipe de consultants. Le comité a enquêté sur les valeurs, il a organisé un séminaire avec des gens en qui l'organisation avait confiance, pour discuter des tendances et des stratégies possibles, il a organisé des réunions régionales pour les membres et mis sur pied un «réseau de correspondants» qui a discuté, par lettres, des grands problèmes touchant l'organisation. Un comité de planification a ensuite synthétisé le tout en un texte de trois paragraphes qui a été débattu puis entériné par le C.A.

III Formulation de la stratégie

Pendant cette étape, l'organisation précise *comment* elle accomplira sa mission, compte tenu des questions stratégiques qui sont les siennes. Après avoir défini ses grandes orientations et cerné ses dilemmes, l'organisation doit prendre ou confirmer les décisions qui traduiront sa position, sa perspective et ses objectifs stratégiques ainsi que la manière dont elle compte les atteindre. Comment l'ONG saura-t-elle si elle se dirige là où elle veut aller?

Formulation de la stratégie : comment l'organisation accomplira sa mission.

Quels sont ses indicateurs de succès, y compris ceux qui ne peuvent être mesurés?

Formuler la stratégie permet à l'organisation de comprendre encore plus clairement son travail et *la raison pour laquelle elle mérite l'appui de ses partenaires, des bailleurs de fonds, du personnel et des bénévoles.* C'est le moment, encore une fois, où l'on considère encore une fois le «qui, où, quand et comment» de son travail, c.-à-d. les compsantes spécifiques. Ainsi, une organisation dont l'énoncé de mission l'engage à viser l'égalité entre hommes et femmes et entre les races pourrait formuler ainsi sa stratégie : «Nous sommes une organisation féministe qui, en Afrique du Sud, appuie les femmes pauvres des milieux ruraux.» Cet énoncé va plus loin que l'énoncé de mission parce qu'il précise la perspective (le féminisme) et les personnes avec qui l'organisation entend travailler (des femmes pauvres, de milieu rural). La stratégie devrait également préciser le genre d'organisations féminines avec qui l'organisation souhaite travailler (coopératives, cliniques juridiques, programmes de formation, petites entreprises) et comment elle les appuiera. Financera-t-elle le fonctionnement, des petites entreprises ou un fonds de roulement; enverra-t-elle des formatrices ou un autre genre de personnel technique? L'énoncé de stratégie peut également préciser les objectifs sur un ou deux ans, ou même sur trois ans.

Il n'y a pas de stratégie parfaite ou toute faite d'avance. Chaque ONG élabore la sienne en répondant à ses propres questions, en respectant son histoire, ses valeurs et ses compétences. Toute stratégie évolue en fonction des questions qui changent et des apprentissages que l'on fait en la mettant en oeuvre.

Cela dit, lorsqu'on examine les stratégies adoptées par les ONG, on distingue six «familles génériques de stratégies»[7] :

- Envoi de coopérantes et coopérants et support technique : à la fois pour apporter aux organisations du Sud l'expertise requise et pour apprendre d'elles;

- Secours d'urgence : envoi d'aliments ou d'autres biens matériels aux pays dans le besoin à la suite d'une guerre ou de catastrophes naturelles;

- Renforcement institutionnel : financement et appui pour le développement d'organisations locales qui poursuivent des buts de développement;

- Représentation : analyse des politiques gouvernementales et sensibilisation en vue du changement dans le Nord;

- Droits de la personne et bon gouvernement : appui aux ONG et aux agences gouvernementales en vue de défendre les droits de la personne et de développer les pratiques démocratiques;

- Réalisation de projets locaux d'autodéveloppement.

Voici sept questions pour évaluer la stratégie :

- A-t-on élaboré la stratégie sur la base d'un dialogue véritable avec les partenaires du Sud?

- Mise-t-on sur les principales capacités de l'organisation?

- A-t-on bien compris ce qui a des chances de marcher?

- Les questions stratégiques de l'organisation sont-elles prises en compte?

- Les responsables de sa mise en oeuvre sont-ils engagés personnellement vis-à-vis de la stratégie?

- Peut-elle être évaluée et éventuellement modifiée?

- A-t-on prévu des mécanismes favorisant l'apprentissage de ceux et celles qui mettront la stratégie en oeuvre?

IV Mise en oeuvre de la stratégie

La mise en oeuvre, c'est la réalisation de la mission au quotidien. Dès que le conseil d'administration a approuvé un énoncé de mission et une stratégie, chaque palier ou région de l'organisation oeuvre à l'intérieur de ce cadre, élaborant sa propre analyse des questions stratégiques, de la position et du plan de mise en oeuvre.

Mise en oeuvre de la stratégie : la réalisation de la mission au quotidien.

La première dynamique est la tension entre flexibilité et contrôle, surtout dans le cas d'une ONG baignant dans un milieu social, politique et culturel complexe et qui traite avec beaucoup d'autres organisations.

La première dynamique est la tension entre flexibilité et contrôle, surtout dans le cas d'une ONG baignant dans un milieu social, politique et culturel complexe et qui traite avec beaucoup d'autres organisations. Comment, dans un tel contexte, se spécialiser et se positionner? De quelle expérience l'ONG a-t-elle besoin? Quelle valeur accorder à l'expérience et aux points de vue des clients et des partenaires? Et comment les intégrer à la formulation et à la mise en oeuvre de la stratégie? Quel genre et combien de dissidences tolérer? Dans quelle mesure accepter les solutions locales? Quelle latitude laisser au personnel des programmes sur le terrain et aux cadres pour qu'ils formulent leurs propres plans dans le cadre de la stratégie d'ensemble?

Ces questions ne sont pas simples, car elles visent à préciser la nature de rapports complexes entre les ONG du Nord et les ONG du Sud, en particulier celles qui ne sont pas simplement exécutrices. Elles soulèvent d'autres questions, politiques et éthiques, au sujet de notre travail et de la manière dont nous le réalisons. Qui alors, dans cette situation, est imputable des résultats? A qui revient la responsabilité de les obtenir?

Que faire, comme ONG ou comme organisation volontaire, au sujet du contrôle stratégique? Bailleurs de fonds et donateurs exigent une plus grande imputabilité. Comme l'ont bien vu les chercheurs Goold et Quinn, les ouvrages sur la planification sont unanimes : il faut surveiller et contrôler la mise en oeuvre de la stratégie. Or, l'enquête qu'ils ont réalisée auprès des deux cents plus grandes ONG en Angleterre a révélé que moins de onze pour cent avaient un système de contrôle adéquat.[8]

Comment assurer un certain contrôle quand on est imputable à des acteurs multiples, quand les gens qui préparent les programmes sont éparpillés dans différents services, dans différentes organisations ou différents pays? Jusqu'à quel point doit-on resserrer la gestion?

En fait, chaque organisation doit trouver ses réponses en fonction du niveau de coordination dont elle a besoin, d'une appréciation réaliste de ce sur quoi elle peut exercer de l'influence ainsi que de considérations plus ordinaires, telles le degré de professionalisme désiré. Le contrôle excessif comporte des dangers : manque de souplesse, difficulté de répondre aux besoins locaux, exigences bureaucratiques en matière de rapports, lutte pour le contrôle entre le siège social et les régions. Par contre, quand il y a trop de flexibilité, personne n'a de comptes à rendre, la coordination s'atrophie, la synergie s'efface et, ce qui est plus grave, l'organisation fait peu d'apprentissages sur l'efficacité de sa stratégie.

Les décisions relatives au contrôle doivent être prises en fonction des circonstances particulières de chaque organisation, non pour se conformer aux ouvrages basés sur l'expérience du secteur privé et dont les conseils ne sont même pas suivis par l'entreprise privée.

Formuler une stratégie et la mettre en oeuvre exige une méthode où l'apprentissage, la compréhension, la réalisation et les valeurs fondamentales motivant l'action ont leur place. Une telle méthode de gestion stratégique engendre parfois des conflits ou donne des résultats imprévus, mais parfois aussi elle est infiniment plus enrichissante.

RELATIONS INTERNATIONAL : La stratégie comme outil d'apprentissage

Étude de cas

Humbles débuts

Relations International (Relations)[*] est une petite ONG canadienne de développement international fondée à la fin des années 70 par une Église. Au début, Relations était dirigée par un conseil d'administration bénévole nommé par l'Église qui la parrainait depuis les États-Unis. Sa mission originale était de recueillir des fonds pour les projets d'aide et de développement communautaire réalisés à l'étranger par cette Église.

[*] Relations International n'est pas le nom de l'organisation qui a servi de modèle pour ce cas.

Dans les années 80, Relations s'est développée, passant de un à six employés. Son budget, qui dépasse maintenant le million de dollars, provient des donateurs individuels, d'autres ONG canadiennes et des subventions du gouvernement fédéral.

Le directeur général est avec Relations presque depuis le début. Avec le temps, il a créé une vision du développement axée sur le partenariat : être à l'écoute des partenaires et respecter leur façon de faire et de penser. L'expérience et le savoir des ONG du Sud exerçaient sur lui beaucoup d'influence, en particulier celles de l'Asie du Sud-Est et de l'Amérique centrale. Tout reposait sur la confiance entre les partenaires et sur une grande ferveur spirituelle. Avec le temps, le programme a adopté une orientation plus oecuménique.

Relations n'avait aucun document d'écrit, elle ne se spécialisait dans aucun domaine particulier. Le directeur général choisissait les partenaires, fort de son jugement et de son expérience dans les six ou sept pays où Relations oeuvrait. L'organisation était de toute évidence axée sur le développement; avec son «esprit d'entreprise» très poussé, elle réagissait aux possibilités offertes avec le minimum de tracasseries administratives. De son côté, l'Église, plus intéressée par les oeuvres de charité, offrait une aide humanitaire fondée sur des sentiments chrétiens. Relations suivait une voie différente, s'écartant de son homologue américain et de l'approche qu'elle avait héritée. En conséquence, le fossé s'élargissait entre les oeuvres de l'Église et le travail de développement de Relations.

Une évaluation de l'extérieur aide à provoquer le changement

En 1990, l'Agence canadienne de développement international (ACDI) demande une évaluation organisationnelle de Relations International comme condition de son financement. C'est la première fois que l'activité de Relations fait l'objet d'une évaluation extérieure. L'évaluation est positive et recommande que Relations rédige un énoncé de mission et établisse un plan stratégique; qu'elle prenne l'initiative dans la définition de ses objectifs de programmation. Relations n'avait jamais songé à la planification stratégique avant que l'ACDI soulève la question. Avec le recul, on voit que si la recommandation ne visait qu'une plus grande clarté, elle a provoqué une réaction en chaîne qui a ébranlé le personnel et enclenché une remise en question et une expérimentation qui ont ouvert des voies dont Relations ne soupçonnait même pas l'existence.

Le directeur général décrit le début de ce processus :

> *Nous avons accepté de rédiger un énoncé de mission et tenté de le faire à quelques reprises en 1991. Mais après un an, ça n'avait toujours pas été fait. Ce n'était tout simplement pas prioritaire. Le C.A. était rassuré puisque l'Église contrôlait la situation. Comme l'évêque siégeait au C.A., les gens n'avaient aucune inquiétude au sujet de l'organisation. Des membres du conseil d'administration ne saisissaient pas la difficulté de cette tâche ou la trouvaient trop déroutante. Il a fallu toute une fin de semaine en décembre 1992 pour rédiger un paragraphe. L'évêque n'arrivait pas à croire qu'on dépense tant de temps et d'argent pour une telle opération. Mais cela a été la clef qui a éveillé l'intérêt du C.A. pour l'organisation.*

Une membre du C.A. décrit le résultat :

> *Il en a résulté que les gens ont appris à mieux se connaître et qu'ils apprécient mieux la différence des points de vue. Nous avons tout mis sur la table. Une nouvelle façon de faire a ainsi été inaugurée : discuter des choses, puis essayer de comprendre ce qui se cache dessous. Nous avons défini un thème central et des principes directeurs, au lieu de nous limiter à l'examen du bilan financier. Un tri s'est fait tout naturellement; certaines personnes sont parties quand elles ont compris que les choses prenaient une tournure différente.*

La rédaction de l'énoncé de mission en 1992 a préparé le terrain pour la planification stratégique qui a soulevé un certain nombre de questions stratégiques sur la manière de travailler de Relations.

Les questions stratégiques intéressant Relations International

• Rôle des partenaires outre-mer et des non-croyants dans les décisions stratégiques. Si Relations respectait tellement les autres et était tellement à l'écoute de ses partenaires, alors pourquoi le C.A. était-il exclusivement blanc et canadien? Cette question a entraîné des changements dans la composition du C.A. (Relations a recruté des Canadiennes et des Canadiens nés dans les pays où elle travaille pour siéger au C.A.)

• Le désir de cohérence entre travail et mission a affranchi Relations du contrôle ecclésial, même si la relation étroite avec l'Église est demeurée cordiale. De nombreux partenaires sont séculiers. Le soutien aux projets est accordé en fonction de principes communautaires de développement et de participation, non en fonction des liens avec l'Église.

• Le genre d'expertise et d'expérience que devrait posséder le personnel : pendant des années, c'était un personnel d'Église, des amis bien intentionnés et engagés, mais sans formation ni expérience dans ce domaine. Maintenant, le nouveau personnel est engagé sur la base des compétences et de l'expérience.

• La question des valeurs et principes explicites qui ont guidé le C.A. et le personnel a été soulevée quand on s'est demandé si Relations pratiquait ce qu'elle prêchait, comment elle recueillait ses fonds, et comment elle pourrait être davantage imputable à sa base et à ses partenaires.

• Rôle de la base dans l'élaboration des grandes orientations : puisque les personnes de la base n'élisent pas les membres du C.A., jusqu'où doit aller l'imputabilité? Comment Relations pouvait-elle devenir plus démocratique dans l'élaboration de ses grandes orientations? Quelle part du contrôle céder à la base, surtout que celle-ci s'étendait au-delà des limites de l'Église? Le conseil d'administration a alors essayé diverses méthodes pour sonder l'opinion de sa base : il s'est laissé guider par certaines opinions et s'est lié par d'autres. Il a songé effectuer des enquêtes et des sondages d'opinion. Le C.A., cependant, nomme toujours ses membres.

- Le C.A. a complètement modifié sa façon de travailler. Il se réunit plus longuement et il regroupe les points à l'ordre du jour selon qu'il s'agit d'affaires courantes (sur lesquelles on vote sans trop de discussion parce que les membres sont censés avoir lu et compris la question) ou de questions politiques (l'orientation et les questions stratégiques importantes qui exigent le consensus).

Le changement a été à la fois revigorant et stressant. Les questions étant discutées au grand jour, on a pu éliminer certains obstacles organisationnels au changement. Des membres du C.A. et tous les plus anciens membres du personnel, à l'exception du directeur général, ont quitté Relations, parfois contraints de le faire. Les conflits au sein du personnel ont été particulièrement pénibles, étant donné que c'est une petite organisation très liée avec une communauté confessionnelle relativement peu nombreuse. Cependant, les nouvelles recrues au C.A. et au secrétariat apportent de nouveaux points de vue qui viennent à la fois de l'Église et de l'extérieur. «Tout cela est très, très nouveau pour nous tous», déclare un des membres du conseil d'administration. «Nous sommes en fait en train d'essayer de modifier la façon de penser et d'agir. Il faut susciter la participation de tous les intervenants, des donateurs, des partenaires et des membres.»

Le directeur général décrit le résultat :

> *Le C.A. était plutôt fort en tête; maintenant il est plus fort en coeur. Pourquoi? Parce que les gens appuient véritablement le travail et ils y croient. Il n'y a pas d'autres raisons pour siéger au C.A. Tout ce temps consacré au processus nous a encouragés à examiner de très près ce que nous faisons; nos idéaux nous mènent-ils quelque part? Aujourd'hui, nous cherchons ensem-*

ble à être plus cohérents avec notre mission et en harmonie avec elle. Ce sont nos partenaires qui nous ont interpellés, qui nous ont portés à réfléchir à nos valeurs, à notre façon de prendre les décisions. L'idée de chercher le consensus nous est venue en discutant avec eux.

Cet exemple montre bien comment la planification stratégique peut rendre une organisation consciente des questions et des orientations qu'elle n'avait pas envisagées ou qu'elle ignorait même auparavant. L'entreprise peut ébranler les hypothèses sur la manière de faire les choses. En acceptant le risque et en s'ouvrant aux nouvelles approches, on s'enrichit mais on pose un défi à l'organisation. Dans le cas de Relations, cela n'a pas amené le C.A. à vouloir contrôler à l'excès le personnel.

Relations est encore en train d'élaborer sa stratégie : elle a réitéré son engagement envers sa mission; énoncé les valeurs fondamentales qui guideront ses activités; formulé les questions stratégiques qu'elle devra discuter et résoudre concernant l'imputabilité, la participation, l'inclusion, l'éthique, la collecte de fonds et la prise de décision; formulé une stratégie qu'elle a rédigée sous forme de plan de programmation; et elle s'occupe de mettre le tout en oeuvre. Par ses capacités et son engagement, le C.A. est maintenant plus en harmonie avec la vision et avec l'énergie des nouveaux membres du personnel, en particulier le directeur général. Avec le temps, la façon plus démocratique et plus ouverte d'élaborer les politiques entraînera sans doute de nouveaux changements. La planification stratégique imposée par l'ACDI a permis un apprentissage majeur au sein de l'organisation.

Nous avons vu dans ce chapitre que la gestion stratégique est un outil important pour survivre dans un milieu qui change rapidement. De nombreuses ONG ont mené à bien leur planification stratégique, mais celle-ci doit être adaptée à chaque ONG ou organisation volontaire. Le modèle de planification stratégique décrit dans les ouvrages inspirés du monde des affaires est trop formel et rationnel et trop axé sur le contrôle pour être utile aux ONG. En fait, il est de peu d'utilité même à l'entreprise privée.

Quand la gestion stratégique devient un moyen d'apprentissage, elle centre le conseil d'administration, le personnel et la direction sur les principales questions : pourquoi existons-nous, à quoi faisons-nous face, qui servons-nous, comment nous y prenons-nous? Ce dialogue continu fait appel au meilleur de l'intuition et au meilleur du jugement et de la logique.

Références

1. Wildavsky, A., *Speaking Truth to Power: The Art and Craft of Policy Analysis*, Toronto, Little, Brown & Co., 1979, cité dans Mintzberg, H., *The Rise and Fall of Strategic Planning*, New York: The Free Press, 1994, p. 189.

2. Mintzberg, H., *op. cit.*

3. Ibid.

4. Pearce, J. A. et al., "The Tenuous Link between Formal Strategic Planning and Financial Performance," *Academy of Management Review,* XII, 4, 1987, cité dans Mintzberg, *op. cit.*, p. 97.

5. Stacey, R.D., *Managing the Unknowable, Strategic Boundaries between Order and Chaos in Organizations*, San Francisco : Jossey-Bass, 1992.

6. Quinn, J.B., *Strategies for Change, Logical Incrementalism,* Homewood, Irwin, 1980.

7. Broadhead, T., Herbert-Copley, B., Lambert, A.-M., "Ponts de l'espoir : les organismes bénévoles canadiens et le tiers monde", Ottawa, Institut Nord-Sud, 1988 et Korten, D., *Getting to the 21st Century, Voluntary Action and the Global Agenda,* West Hartford, Kumarian, 1990.

8. Goold M., et Quinn, J.J., "The Paradox of Strategic Controls", *Strategic Management Journal,* no. 11, 1990, cité dans Mintzberg, *op. cit.*

La Structure et la conception organisationnelles

5

«*Il est facile de restructurer, mais toute restructuration qui ne tient pas compte des vrais besoins des gens et des conflits qu'ils vivent est vouée à l'échec. Les vieux problèmes referont toujours surface.*»

Directeur général, «Relations International»

L E PRÉSENT CHAPITRE DÉCRIT LA CONCEPTION ORGANISATIONNELLE, c'est-à-dire l'effort de faire correspondre la structure, les pratiques de gestion et les personnes à la stratégie de l'organisation et à sa culture. On assimile très souvent changement organisationnel à restructuration et, ces derniers temps, à réduction des effectifs. Les éléments structuraux sont importants, mais ils sont loin d'être les seuls dont il faille tenir compte. Par «structure», nous entendons les formes latérales et verticales que prennent les relations de travail; la division du travail entre les services et entre les fonctions; la répartition du pouvoir et de l'autorité; et certaines fonctions de coordination. Changer une structure

Structure :
Par «structure», nous entendons les formes latérales et verticales que prennent les relations de travail; la division du travail entre les services et entre les fonctions; la répartition du pouvoir et de l'autorité; et certaines fonctions de coordination.

exige beaucoup de temps et perturbe toutes les activités normales, alors pourquoi faudrait-il le faire?

Très souvent, on y est poussé par une crise ou un changement dans le milieu extérieur, qui modifie les exigences auxquelles doit répondre l'organisation. Ainsi, la concurrence accrue ou la baisse des revenus obligera à mettre en place un autre système ou un mode de communication plus efficace. L'adoption d'une nouvelle stratégie ou l'arrivée d'un leadership différent poussera aussi l'organisation dans cette direction. Quelles qu'en soient les raisons, un grand nombre d'ONG et d'organisations volontaires sont toujours en train de se réorganiser. Nous verrons dans ce chapitre que différentes structures peuvent convenir aux besoins particuliers d'une organisation.

Supposons que vous siégez au conseil d'administration d'une ONG de taille moyenne. Prévoyant des difficultés financières, l'ONG s'est donné un plan stratégique qui modifie de façon importante les priorités des programmes. Vous ne connaissez pas grand-chose à la restructuration, mais le C.A. a établi des critères en vue de ce changement. La nouvelle structure devra désormais :

• Être plus efficace et, si possible, plus petite;

• Rendre compte plus directement aux partenaires, aux membres, au public et aux bailleurs de fonds;

• Être nettement centrée sur la mission et la stratégie;

• Être plus flexible et s'adapter aux changements et aux incertitudes du milieu;

• Être conforme à la culture de l'organisation;

• Être équitable envers les hommes et les femmes et envers d'autres groupes sous-représentés.

Examinons ensemble les diverses structures permettant de répondre à ces critères. Elles doivent tenir compte des besoins du personnel et du conseil d'administration, ainsi que de la relation entre les deux.

Critères s'appliquant à la structure organisationnelle

1. Plus efficace et plus petite

Une organisation plus petite et plus efficace réduira la hiérarchie. La réduction récente des effectifs dans les secteurs public et privé a supprimé les postes du personnel de bureau et des cadres avant les postes des programmes. La plupart des organisations espèrent compenser cette réduction en améliorant leurs systèmes et leurs techniques d'information. Certaines contractent à l'extérieur du travail effectué autrefois à l'interne, se créant ainsi un réseau de fournisseurs de services.

2. Plus grande imputabilité

D'habitude, on parle soit d'imputabilité financière par l'amélioration du contrôle central, soit d'une plus grande imputabilité du conseil d'administration face à la base qui l'élit, soit d'une plus grande imputabilité des cadres qui doivent faire approuver par leurs supérieurs des objectifs précis de productivité ou de planification. En vertu de la loi régissant les organisations volontaires, le conseil d'administration doit être élu par des membres en bonne et due forme, la définition de «membre» variant selon l'organisation.

L'imputabilité du conseil d'administration constitue un problème de taille au sein des ONG canadiennes. Des mécanismes efficaces doivent permettre au C.A. de rendre compte aux membres, aux partenaires, aux donateurs et aux bailleurs de fonds. L'élection des membres du conseil constitue une forme d'imputabilité, mais elle présente aussi des problèmes, surtout si les responsabilités du C.A. sont vagues ou si les membres sont généralement inactifs ou très dispersés. Il existe deux niveaux d'imputabilité : l'imputabilité collective (le conseil rend compte à sa base de la santé globale de l'organisme et des opérations), et l'imputabilité individuelle (chaque membre du conseil est responsable d'un domaine particulier du travail, ou représente un public particulier). Toute organisation, quelle que soit sa structure, doit viser les meilleurs feedback, représentation et participation possibles de sa base, tout en cherchant l'équilibre entre la participation d'une part et, d'autre part, la cohérence et la continuité. Ainsi, comme on l'a vu au chapitre 4, le conseil d'administration de Relations International a choisi de ne pas faire élire ses membres, mais il a trouvé d'autres formules pour faire participer sa base à l'élaboration des politiques. En outre, Relations encourage les membres du C.A. à se rendre sur le terrain pour rencontrer eux-mêmes les partenaires. Cette formule a raffermi la motivation et l'engagement des membres au sein du C.A.

3. Mieux centrée sur la mission et la stratégie

Structure fonctionnelle :
La structure fonctionnelle s'appuie sur des activités communes qui sont regroupées.

Structure-t-on l'organisation à partir des fonctions, des programmes ou des régions géographiques? Une structure «fonctionnelle» donne la priorité aux fonctions spécialisées telles que les communications, les politiques, les opérations, les finances, la recherche de fonds, etc. Une structure axée sur les programmes (ou «produits»), sera construite selon des domaines : agriculture, appui aux réfugiés, ou selon des thématiques. Structure fonctionnelle ou structure de programmes? Le choix dépend de la nature de l'ONG, de ses priorités stratégiques et de sa culture . La structure fonctionnelle traduit une préférence pour les compétences spécialisées; la structure régionale reflètera le souci de répondre à différents besoins locaux, dans une organisation plus décentralisée.

Structure régionale :
La structure régionale est plus décentralisée et soucieuse de répondre aux besoins locaux.

Le choix de la structure détermine la manière dont l'information circule, les rapports hiérarchiques et le processus de décision. Ainsi, une organisation structurée par fonctions, et valorisant la recherche de haut niveau, organisera ses mécanismes de coordination (comités, groupes de travail, comités spéciaux) en fonction de leur rendement dans ce domaine. Dans la structure par régions, les unités de travail et les décisions se regrouperont probablement autour des besoins des régions.

La structure du conseil d'administration (composition et comités) devrait renforcer son leadership stratégique. Cela est plus facile à faire si le conseil et le personnel sont structurés ou définis de façon parallèle, d'après une fonction ou un programme. On pourra définir les postes au conseil en fonction des champs de spécialité requis pour appuyer une politique; on pourra aussi attribuer ces postes d'après les régions si les membres sont ainsi répartis. Ce parallélisme favorise la circulation de l'information entre tous les secteurs de l'organisation et le C.A., et concentre ce dernier sur les objectifs organisationnels.

4. Plus souple et capable de réagir

Les ONG et les organismes volontaires, nous l'avons vu, vivent des temps fort agités; leur avenir est incertain. Leur survie dépend de la capacité de recueillir et de traiter rapidement l'information, et d'agir efficacement et sans délai en fonction de cette information. Peu d'ONG y sont parvenues dans le passé. Cette faculté de réagir est organique; par conséquent elle ne dépend pas de mécanismes ou de règles. Une ONG souple, qui réagit rapidement, est plus tournée vers ses clients ou sa base, elle possède moins de niveaux hiérarchiques, elle donne plus de latitude au personnel de première ligne que l'ONG bureaucratique ou hiérarchique traditionnelle.[1]

La cueillette et le traitement de l'information ne constituent cependant que la première étape; il faut ensuite agir en fonction de cette information. Cela est plus difficile dans le secteur public, à cause des multiples niveaux d'imputabilité et de l'orientation vers les services.

5. Plus conforme à la culture organisationnelle

La culture, on le sait, englobe les valeurs, les croyances et les normes de comportement. La structure organisationnelle doit correspondre à ces valeurs ou viser à les modifier. Un professeur de gestion américain, James O'Toole, a conçu une manière originale de considérer les valeurs d'une organisation. Il les place sur deux axes, comme ci-dessous. L'axe vertical correspond aux principes de récompense et de reconnaissance. L'axe horizontal fixe l'orientation générale de l'organisation soit vers les personnes, soit vers le produit :[2]

L'organisation qui valorise le mérite accorde ses récompenses selon le rendement individuel. Elle encourage la concurrence amicale (dans les ventes, par exemple), elle affiche de grands écarts de statut, d'avantages sociaux et de salaire. Cette valeur est peu prisée dans les organisations volontaires, bien que l'on récompense l'expérience et la compétence en payant les ges-

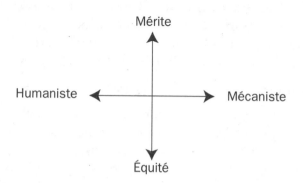

tionnaires mieux que le personnel de programmes et de l'administration. Le principe du mérite fait toutefois du progrès dans les ONG, comme moyen d'attirer des gens ayant des compétences spécialisées, notamment en collecte de fonds.

À l'autre extrémité de l'axe, l'organisation qui valorise l'équité réduit au minimum les écarts de statut et de salaire. Les sommes consacrées au personnel sont plus également divisées et ne dépendent pas de critères traditionnels tels la fonction, l'âge, le sexe ou l'expérience. Le travail en équipe privilégie la contribution de chacun et chacune et offre des chances égales d'acquérir un savoir et de l'expérience. L'organisme situé au pôle «Équité» accorde à tous le même salaire de base, auquel il ajoute parfois un supplément pour les personnes à charge. Chacun et chacune assume des tâches administratives, et la responsabilité du bureau ou de la réception est partagée à tour de rôle. Ce sont en général les ONG plus petites qui fonctionnent de cette façon. Les organisations qui valorisent l'aspect «Équité» conservent pour la plupart des écarts salariaux, mais minimisent les symboles de statut tels les meilleurs bureaux ou le stationnement gratuit pour la direction. La qualité du travail est reconnue par les pairs et fait l'objet d'une évaluation formelle du rendement.

Le second axe de O'Toole présente l'orientation générale de l'organisation comme tournée vers les personnes (humaniste) ou vers les mécanismes (mécaniste). L'organisation mécaniste prescrit avec soin la nature du travail, valorisant l'efficacité, la productivité et l'uniformité. Le prototype est la chaîne de restaurants-minute où chaque établissement se conforme scrupuleusement à une formule bien définie. De nombreux organismes volontaires ont conçu pour certaines activités des systèmes qui nécessitent une systématisation. Ainsi, BRAC, une importante ONG du Bangladesh, a mis au point un système l'assurant que son programme de crédit est géré exactement de la même façon dans chacun de ses 600 bureaux locaux.

L'organisation humaniste privilégie l'apprentissage et la souplesse et laisse les gens libres d'interpréter et d'innover. Le postulat sous-jacent est que la nature du travail exige moins de structures et de méthodes, mais plus de communications interpersonnelles, de formation et de créativité individuelle et collective. On évaluera le rendement sur la base du mérite ou de l'équité. L'organisation humaniste typique est une petite «boîte de consultants», un service de recherche, une société de développement de logiciels. Beaucoup d'organisations volontaires ou à but non lucratif valorisent la culture humaniste, qui correspond bien à leur mission globale. Le besoin de contrôler la qualité et de rendre compte aux bailleurs de fonds gouvernementaux assure un sain équilibre entre les objectifs mécanistes et les objectifs humanistes; de fait, on trouve très peu d'organisations à une extrémité ou l'autre des axes.

6. Plus équitable envers les hommes et les femmes :

L'équité entre les sexes est, dans la structure organisationnelle, l'aspect qui a reçu le moins d'attention de la part des concepteurs d'organisations.[3] La théorie et la conception organisationnelles, en effet, se sont rarement préoccupées de l'équilibre entre les sexes. Comment se traduit, dans la structure, le souci de l'équité entre les sexes? Il y a d'abord l'accessibilité aux postes de cadres supérieurs ou au conseil d'administration, résultant de mécanismes, de politiques et d'attitudes qui favorisent le recrutement et la sélection des femmes et d'autres groupes sous-représentés. Les théories féministes ont montré, cependant, qu'il existe de nombreux mécanismes structurels, autres que celui de la représentation, qui favorisent les hommes par rapport aux femmes et aux autres groupes victimes de discrimination systémique. Ainsi, quand les récompenses, les projets intéressants ou les chances d'avancement sont donnés à ceux qui peuvent voyager, faire des heures supplémentaires ou travailler le week-end, il y a discrimination à l'endroit des femmes parce qu'elles sont encore les premières responsables des enfants et des tâches domestiques. L'organisation équitable offrira des conditions de travail flexibles : horaires variables, congés pour élever les enfants, congés parentaux pour les hommes et les femmes, temps partagé et travail à la maison. Mais même ces politiques ne suffisent pas. Car les femmes et les hommes qui en bénéficient sont toujours soupçonnés de ne pas être vraiment «engagés» dans leur carrière. Il faut une évolution plus profonde et à plus long terme des attitudes vis-à-vis du travail et de la famille. C'est là un défi sociétal dont l'ampleur dépasse les possibilités d'une seule organisation.

Les organisations avantagent les hommes aussi dans la manière même de structurer le travail. Quand une femme réussit à obtenir un emploi, elle découvre souvent que son sexe l'expose à de graves difficultés. Ainsi, pour voyager à l'étranger, elle devra souvent prendre des médicaments et recevoir des injections contre-indiqués pour les femmes enceintes. Dans certains pays, les femmes ne peuvent pas voyager seules ou aussi facilement que les hommes, ou ne peuvent voyager en compagnie d'hommes qui ne sont pas de leur famille.

Certaines structures organisationnelles s'adaptent plus facilement à la manière de travailler des femmes. Sally Helgesen a défini ce qu'elle considère comme un style féminin de gestion, qui s'avère passablement différent du style masculin de gestion.

> Désireuses de concevoir des styles de leadership adaptées à elles, les femmes que j'ai étudiées ont créé des organisations profondément intégrées et organiques, c'est-à-dire où les bonnes relations ont de l'importance; les raffinements de la hiérarchie et les distinctions y trouvent peu de place; les voies de communication sont multiples, ouvertes et diffuses. J'ai noté que ces femmes ont tendance à se placer au centre de leur organisation, plutôt qu'au sommet. Elles privilégient ainsi l'accessibilité et l'égalité, elles s'emploient sans relâche à faire participer les gens au processus de décision.[4]

Ces observations sont controversées. Dans un article portant sur les rapports entre l'administration et les deux sexes, Anne Marie

Goetz cite des recherches qui ont démontré que :

- L'organisation horizontale et décentralisée occulte parfois la discrimination systémique en apparaissant superficiellement plus équitable; cependant, la discrimination décrite ci-dessus existe toujours.

- L'organisation collectiviste ne répond pas nécessairement aux attitudes et aux objectifs féministes si elle ne s'attaque pas ouvertement au problème des rapports femmes-hommes.

- Le fonctionnement dans une organisation peu structurée exige plus de temps de la part des membres; beaucoup de femmes qui ont de jeunes enfants acceptent mal cette situation qui rallonge leur journée de travail.[5]

L'organisation inclusive disposant de nombreuses voies de communication s'avérera équitable pour les deux sexes dans certains milieux; mais d'autres situations pourraient exiger une approche différente. Comme toujours, la dynamique locale est déterminante.

En résumé, une organisation qui veut instaurer plus d'égalité entre les sexes accordera aux femmes leur juste part des postes de commande au sein du personnel et du C.A., équilibrera mieux travail et famille afin que la structure du travail soit aussi juste pour les femmes que pour les hommes, ouvrira les mécanismes de décision aux femmes et aux hommes.

La conception organisationnelle – quatre modèles

Il existe quatre grands modèles de gestion et d'organisation du travail.[6] Le premier, la hiérarchie, est le plus ancien et le mieux connu. Les trois autres ne sont pas des modèles «purs», mais ils se retrouvent généralement greffés à la hiérarchie. Voici ces quatre modèles.

I La hiérarchie

La structure hiérarchique peut être plus verticale, plus horizontale et plus ou moins patriarcale, autoritaire ou amicale. Ses

La hiérarchie :
La hiérarchie privilégie des voies hiérarchiques claires, une zone de contrôle réduite et des systèmes efficaces.

Dans une hiérarchie, on considère d'emblée les gestionnaires comme bien informés et ayant de l'autorité.

postulats restent toutefois toujours les mêmes : une zone de contrôle assez réduite, c'est-à-dire moins d'unités de travail ou d'employés sous la direction de chaque gestionnaire, et le contrôle du travail par des gestionnaires nommés au mérite. On obtient l'efficacité, très valorisée, en organisant les tâches au préalable et en les confiant à des unités spécialisées. On considère d'emblée la ou le gestionnaire comme bien informé et ayant de l'autorité, de lui imposer une discipline et d'encourager la collaboration et la conformité. Le modèle organisationnel est la pyramide. Le style de gestion est généralement directif, mais on y trouve parfois beaucoup de participation. La supervision est linéaire, du haut vers le bas.

Une ONG à structure hiérarchique pourrait être organisée de la façon suivante à la page 93.

Examinons cette hiérarchie suivant les critères d'une nouvelle structure étudiés plus haut :

LA HIÉRARCHIE

1. Plus efficace et plus petite :

En théorie, la hiérarchie est considérée comme efficace parce que les responsabilités et le travail sont clairement divisés. Mais la multiplication des niveaux de responsabilité et de décision fait souvent perdre au lieu de gagner du temps, surtout à mesure que le niveau d'imprévisibilité augmente.

2. Plus grande imputabilité :

La hiérarchie est généralement considérée comme plus imputable. Chacun et chacune est responsable de son travail et rend compte à une seule personne au-dessus. En pratique, toutefois, beaucoup de patrons évitent les mécanismes d'imputabilité, soit parce qu'ils s'intéressent à la programmation plus qu'à la gestion traditionnelle, soit parce qu'ils n'aiment pas critiquer le rendement du personnel.

3. Plus centrée sur la mission et la stratégie :

Une hiérarchie, par nature, n'est ni plus ni moins capable qu'une autre de se centrer sur la mission et la stratégie. Toute organisation peut s'éloigner de sa mission si ses structures ne

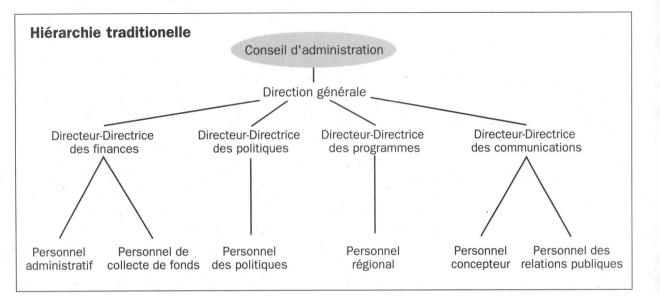

Hiérarchie traditionelle

Conseil d'administration

Direction générale

Directeur-Directrice des finances

Directeur-Directrice des politiques

Directeur-Directrice des programmes

Directeur-Directrice des communications

Personnel administratif

Personnel de collecte de fonds

Personnel des politiques

Personnel régional

Personnel concepteur

Personnel des relations publiques

correspondent pas aux nécessités du travail. Une hiérarchie fonctionnelle peut très bien convenir pendant des années à une situation, mais devoir être restructurée lorsque la situation évoluera.

4. Plus souple et capable de réagir :

La hiérarchie est incapable de réagir rapidement. Elle traite l'information lentement; en général, le personnel a moins de latitude que dans d'autres types d'organisation. En fait, la hiérarchie a été conçue dans le but de réduire la souplesse. En dépit de cela, une hiérarchie décentralisée accorde parfois une grande latitude aux régions ou aux groupes locaux.

5. Plus conforme à la culture organisationnelle :

Dans certains cas, la culture des ONG est compatible avec la hiérarchie, et dans d'autres, elle ne l'est pas.

6. Plus équitable envers les hommes et les femmes :

La hiérarchie peut accepter des horaires souples et adopter d'autres mesures qui tiennent compte des besoins des femmes et des hommes, mais elle n'a pas été conçue dans cette optique.

II L'équipe

L'équipe :
Il y a de fortes chances que l'équipe soit plus «organique» ou participative, valorisant les communications horizontales dans toute l'organisation.

Des recherches en sciences sociales ont montré que le personnel d'une organisation n'est pas influencé seulement ni même surtout par la hiérarchie formelle, mais par les relations informelles établies au travail. Aussi est-il devenu très important, au moment de concevoir la structure d'une organisation, de bien comprendre ces relations informelles et leurs effets sur le comportement et le rendement des employés. On croit généralement que l'efficacité de l'organisation est liée à l'efficacité des personnes. Dans l'organisation qui se préoccupe davantage des relations et de la motivation, les gestionnaires jouent un rôle d'animateurs ou de chefs de groupe, soutenant les gens et les faisant participer. Dans le modèle d'équipe, c'est toujours le ou la gestionnaire qui fixe les objectifs et qui évalue le rendement, bien que ces deux fonctions soient définies de multiples façons (ainsi, dans un collectif, elles sont partagées par le groupe). On contrôle la réalisation des objectifs et l'imputabilité vis-à-vis de l'équipe et du chef d'équipe. La structure d'équipe comporte en général un certain degré de hiérarchie, mais elle est certainement plus organique ou participative que la hiérarchie classique. La structure organique met l'accent sur le personnel et les apprentissages qu'ils font, tout autant que sur les tâches. Elle minimise l'importance de la hiérarchie et préfère créer des normes, des croyances et des valeurs communes; elle croit à la discipline personnelle et à l'adaptation mutuelle.

Dans une structure d'équipe, la ou le gestionnaire joue un rôle d'animateur ou de chef de groupe.

On voit à la page suivante une structure d'équipe. L'organisation comprend une équipe projets, une équipe communications et une équipe collecte de fonds, chacune étant dirigée par un ou une gestionnaire. Les gestionnaires forment la quatrième équipe. Des équipes temporaires sont créées pour régler des problèmes particuliers.

L'ÉQUIPE

1. Plus efficace et plus petite :

La véritable structure d'équipe est autogérée, ce qui diminue le nombre de gestionnaires. Cette efficacité est atténuée par les coûts du temps passé en réunion, ou en transition quand le

Structure d'équipe

Équipe de gestion

Directeur-Directrice
des programmes

Équipe de projets

Directeur-Directrice
de la collecte de fonds

Équipe de collecte de fonds

Directeur-Directrice
des communications

Équipe des communications

personnel doit apprendre une nouvelle forme de prise de décision ou de résolution de conflit.

2. Plus grande imputabilité :

Les équipes, les chefs d'équipes et les individus sont imputables à un ou une gestionnaire, à la direction ou au conseil d'administration. Toutefois, la structure d'équipe n'a pas de lignes de responsabilité hiérarchiques clairement définies.

3. Plus centrée sur la mission et la stratégie :

La structure d'équipe peut efficacement se centrer sur la mission et sur une stratégie donnée, que les équipes soient permanentes ou temporaires. L'élément principal étant que la tâche soit définie par rapport à la mission et que chaque équipe soit responsable d'un programme.

4. Plus souple et capable de réagir :

La structure d'équipe est capable de réagir rapidement si l'équipe a le mandat, la compétence et les ressources nécessaires pour faire le travail. À défaut de quoi elle risque de perdre son temps, comme n'importe quel autre comité.

5. Plus conforme à la culture organisationnelle :

Encore une fois, cela dépend du type d'organisation. Bien souvent, le passage de la hiérarchie à la structure d'équipe est difficile à faire. Le personnel doit apprendre les techniques de gestion par équipe et développer son autonomie.

6. Plus équitable envers les hommes et les femmes :

La structure d'équipe est parfois plus équitable et offre plus de soutien à ce niveau en raison de l'interdépendance des membres. Par définition, une équipe accorde de l'importance à tous ses membres. Cependant, le travail d'équipe exige aussi beaucoup de temps et peut ainsi ne pas convenir au personnel administratif, composé en majorité de femmes, dont le travail est très systématisé. La structure d'équipe mérite peut-être d'être adaptée à chaque organisation et à chaque type de travail.

III La matrice

La structure matricielle combine deux structures : la hiérarchie et l'équipe. La différence, c'est que le personnel est assujetti à une double autorité et imputable à plusieurs gestionnaires. Par exemple, l'agente des finances relevera de la directrice des finances et du directeur d'un programme régional. Souvent, les deux évalueront son rendement. La matrice conjugue l'expertise de la fonction (administration, ressources humaines, communications, etc.) à l'expertise du programme (sectorielle, régionale, etc.). Elle constitue une réponse structurelle à une instabilité des milieux, qui demande beaucoup d'adaptation, d'innovation et de coordination.

La matrice :
Dans une structure matricielle, le personnel est assujetti à une double autorité et imputable à plusieurs gestionnaires.

La principale difficulté de la structure matricielle réside dans la complexité des rapports et des responsabilités hiérarchiques. Cette complexité entraîne des conflits interpersonnels et augmente le temps passé en réunion. Entre le siège social et les divisions locales ou régionales, les relations deviennent parfois très tendues et drainent l'énergie. La structure matricielle semble être la plus fonctionnelle dans les organisations de taille moyenne ou dans une division d'une organisation plus vaste.

Au chapitre 3, ONGI a créé une structure matricielle pour son service des programmes quand le siège social a été restructuré en 1992 (voir l'illustration plus bas). La matrice s'est structurée autour des programmes régionaux — chaque équipe régionale étant composée du personnel des programmes, du personnel politique, des spécialistes sectoriels et du personnel chargé des finances et de la collecte de fonds, chacune de ces composantes

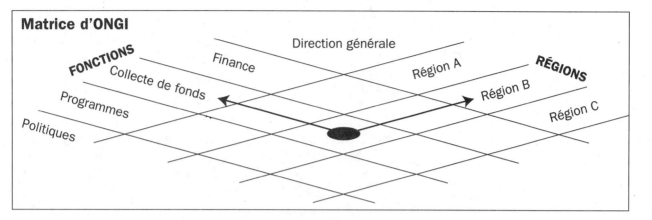

Matrice d'ONGI

ayant une base dans son propre service. Le personnel affecté à la collecte de fonds dans les régions avait déjà ses réunions, de sorte qu'il était bien placés pour intégrer les plans de collecte de fonds des différentes régions. La structure matricielle est complexe, à l'image du monde. Elle améliore l'intégration et la coordination organisationnelles.

La structure matricielle performe-t-elle bien vis-à-vis de nos critères de départ?

LA MATRICE

1. Plus efficace et plus petite :

La structure matricielle n'est pas nécessairement plus efficace compte tenu du temps passé en réunion, mais elles permet d'éviter le double emploi lorsqu'il y a manque de communication entre les services.

2. Plus grande imputabilité :

Rendre des comptes est plus complexe dans une structure matricielle, le personnel étant supervisé par deux ou trois personnes. Par contre, la matrice est conçue pour accroître le sentiment de responsabilité commune.

3. Plus centrée sur la mission et la stratégie :

C'est l'une des caractéristiques les plus intéressantes du modèle. La structure matricielle permet de créer des équipes multidisciplinaires qui se concentrent directement sur les principaux aspects de la mission et de la stratégie. Chaque membres de l'équipe doit rendre compte au chef d'équipe et au chef de son service. Par exemple, une matrice compte une «équipe de projet d'agriculture viable» comprenant des spécialistes en agriculture, du personnel de projet provenant de la région où le programme est implanté, une responsable de la collecte de fonds et une responsable des communications.

4. Plus souple et capable de réagir :

Comme l'information circule latéralement entre les équipes multisectorielles et fonctionnelles, la matrice devrait permettre une adaptation rapide à des besoins changeants. Autant que possible, les décisions sont prises par l'équipe de projets, ce qui accroît l'adaptabilité. Cependant, cela peut brimer l'initiative personnelle des employés habitués à trouver chez leurs supérieurs un appui pour une idée qui leur tient à coeur. La structure favorise l'engagement de l'équipe et la décision par consensus (bien qu'il faille bien comprendre qui est habilité à décider).

5. Plus conforme à la culture organisationnelle :

La structure matricielle est loin de répondre aux stéréotypes du genre : Chacun relève d'un patron, participer à des réunions n'est pas travailler, avancer signifie avoir une promotion, ou encore on n'arrive pas à s'entendre, la patronne va trancher. Pour bien fonctionner dans ce modèle, il faut souvent prendre beaucoup de temps et faire évoluer la culture organisationnelle.

6. Plus équitable envers les hommes et les femmes :

Comme la structure d'équipe, la structure matricielle valorise la participation de toutes les personnes, qu'elles soient affectées aux programmes, à l'administration ou aux fonctions. Cette valorisation favorise l'abolition des stéréotypes liés au sexe et des obstacles à la participation. Cependant, la structure à elle seule ne suffit pas pour contrer les attitudes patriarcales véhiculées au sein du personnel.

IV Le réseau

Un réseau est un regroupement plutôt flou d'organisations autonomes ou semi-autonomes. Le réseau facilite l'échange d'information et s'adapte bien aux projets conjoints encadrés par une entente contractuelle.

Les réseaux d'organisations existent depuis de nombreuses années dans le secteur du développement international. La Croix-Rouge et le Conseil international des YMCA illustrent la semi-autonomie d'unités regroupées sous un seul nom et une seule approche au travail. Dans les deux cas, les organismes nationaux ne sont pas régis à partir d'un centre international, mais fonctionnent selon un ensemble de principes qui guident le travail au niveau international.

La structure en réseau est un phénomène nouveau qui prend de l'importance dans les secteurs privé et public. L'environnement difficile et concurrentiel a entraîné d'importantes mises à pied dans l'infrastructure de nombreuses organisations. L'apparition de technologies de l'information sophistiquées et accessibles a permis toutefois l'émergence de nouvelles façons de travailler avec moins de ressources. Un intérêt considérable se manifeste maintenant pour l'organisation «virtuelle», qui est un ensemble de relations plutôt qu'un endroit où les gens vont travailler.[7]

Dans une organisation réseau, les unités de fonctions et de programmes sont très autonomes. Le noyau de l'organisation est doté d'une infrastructure très réduite qui fournit certains services. À ce noyau peuvent se greffer des unités de programmes qui mettent en oeuvre la mission. Ces unités réagissent rapidement et sont très flexibles. Parfois elles comprennent uniquement des personnes à contrat choisies pour leur expertise. Le siège social n'a pas pour rôle de diriger ou de coordonner les relations entre les unités, qui créent plutôt les relations dont elles ont besoin. De plus en plus, l'organisation se définit par ces réseaux de relations avec d'autres organisations, des partenaires et des alliances, qui sont toutes essentielles à la réalisation de sa mission. Les décisions sont prises au sein de réseaux d'alliances stratégiques avec des partenaires et un personnel temporaire de projet.

Comme l'explique Kevin Kelly : «La métaphore de l'entreprise comme organisme fermé et bien délimité cède le pas à celle d'un écosystème ouvert, aux frontières mal définies.»[8]

Il existe plusieurs variantes de ce modèle. Comme l'ont

Le réseau
Une organisation en réseau est autant un ensemble de relations qu'un endroit où les gens vont travailler. Elle comprend des unités de programme très autonomes et une infrastructure relativement réduite.

Dans une organisation en réseau, les unités de programmes réagissent rapidement et sont très flexibles. Elles peuvent comprendre diverse personnes à contrat choisies pour leur expertise.

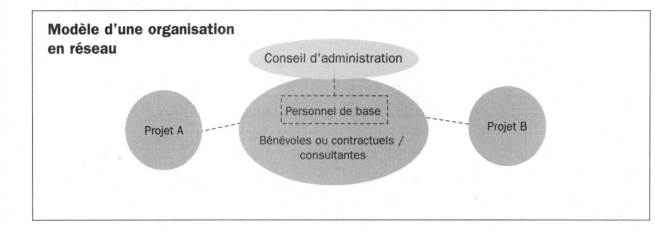

Modèle d'une organisation en réseau

remarqué Cumming et Singleton, des ONG ont adopté une structure et des modes de gestion propres au secteur privé. Elles mettent sur pied des centres de profits autonomes ou vendent-achètent les services dont elles ont besoin à l'intérieur d'unités de projets ou d'unités régionales.[9] D'autres ONG, dans un effort de rationalisation des coûts, négocient des fusions formelles qui leur permettent ensuite de combiner des programmes et des ressources complémentaires.

À quoi ressemblerait le conseil d'administration d'une organisation réseau? Les postes au conseil seraient-ils ouverts aux membres des autres organisations du réseau? Aux représentants des membres, des clients ou des partenaires? Les membres du conseil pourraient venir de comités consultatifs chargés de travailler sur des programmes donnés. La structure du conseil pourrait aussi être beaucoup plus floue, avec un engagement de formes et d'intensités diverses, certains membres se consacrant au programme et d'autres au rôle traditionnel d'administrateur du conseil. Toutes ces structures de conseil évoluent au gré des crises qui poussent les organisations à innover dans leur mode de fonctionnement.

Cas type

Une ONG communautaire «réseautée» vise l'embauche des jeunes

Dans l'Outaouais une ONG locale, créée il y a quelques années dans le but d'offrir une possibilité de formation aux jeunes sans emploi, cherche à se structurer en réseau. Une réduction dans le financement gouvernemental l'a forcée à chercher d'autres façons de gérer son programme en se servant des ressources et de l'expertise du milieu.

L'organisation est dirigée par un conseil central, élu par les membres à l'assemblée générale annuelle. Le conseil supervise les activités de l'organisation. En réponse à la crise financière, il a récemment créé deux autres organismes spécialisés, ayant chacun leur conseil d'administration qui se rapporte au conseil central.

L'un de ceux-ci est un organisme à but non lucratif de collecte de fonds qui est chargé de générer des revenus. Son conseil attire des gens intéressés aux aspects financiers mais moins directement intéressés par les projets, bien qu'ils en partagent les valeurs et les objectifs. L'organisme de collecte de fonds organise des tombolas, des danses, des bingos, etc.

Le deuxième organisme est à but lucratif. Il met sur pied de petites sociétés qui généreront des fonds pour l'organisation et créeront des emplois pour des jeunes. La première société est une entreprise de traiteur qui engagera des jeunes sans emploi pour qu'ils lancent l'entreprise et la fassent fonctionner. Les stagiaires recevront un salaire et une part des profits.

Les deux conseils d'administration subordonnés ont une grande autonomie par rapport au conseil central, ils évoluent tous deux de façon différente. Chacun recrute des membres différents ayant des compétences et des intérêts variés. Les bénévoles qui lancent des projets recueillent rarement des fonds, et les responsables de la cueillette de fonds s'occupent rarement de l'exécution des projets. Ainsi, des personnes unies par un but commun se sont structurées en réseau . Les trois conseils ont chacun une culture qui reflète ces différences : le conseil central fonctionne comme une ONG, alors que le conseil de l'organisme à but lucratif est beaucoup plus centré sur les bénéfices.

La directrice générale siège aux trois conseils et elle joue un rôle important de coordination. Elle supervise un personnel réduit qui reste en relation avec chaque conseil et chaque sous-comité.

L'énergie créatrice au coeur de cette organisation est canalisée par une directrice générale très solide. Un personnel réduit appuie une organisation très étendue, composée en majorité de bénévoles dirigés par un conseil qui possède de solides assises dans la communauté. Les personnes bénévoles qui siègent au conseil et aux comités sont compétentes, engagées, et heureuses de la contribution qu'elles peuvent apporter. Chaque unité a l'autonomie qui permet aux gens de se concentrer sur leur tâche et non sur l'ensemble de la structure.

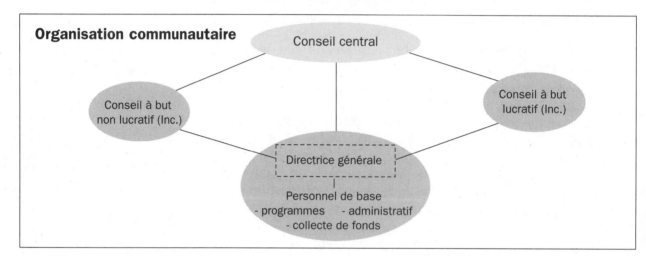

Comment le réseau répond-il aux critères que nous avons présentés dans ce chapitre?

RÉSEAU

1. Plus efficace et plus petite :

Le personnel de base peut être très réduit, alors que l'effectif total peut être beaucoup plus élevé.

2. Plus grande imputabilité :

Le conseil doit rendre compte aux membres. Le personnel, en équipes, est responsable de la tâche à accomplir; chaque employé doit rendre des comptes aux autres membres de l'équipe et à une ou plusieurs gestionnaires. Dans certaines organisations, des unités fournissent des services à d'autres unités contre remboursement des frais; c'est «l'imputabilité vis-à-vis du marché». Ces clients organisationnels sont libres de se procurer ces services ailleurs s'ils trouvent d'autres fournisseurs plus fiables ou moins coûteux, ou qui offrent un service de meilleure qualité.

3. Plus centrée sur la mission et la stratégie :

Le réseau peut être clairement centré sur la mission et sur la stratégie. Celle-ci peut être mise en oeuvre grâce à une série de projets exécutés par des gens embauchés à contrat pour les réaliser, sous la surveillance du personnel.

4. Plus souple et capable de réagir :

Un réseau doit être très flexible. Doté de mécanismes de coordination et d'ententes de fonctionnement, il doit cependant éviter la réglementation excessive. Cette structure n'est pas liée autant que les autres à une infrastructure fixe et à des coûts de personnel.

5. Plus conforme à la culture organisationnelle :

Le réseau peut être conforme ou non à la culture organisationnelle. Toutefois, le passage à la structure en réseau peut s'avérer difficile, même pour l'organisation la plus décentralisée. La structure en réseau est fondée sur des postulats non traditionnels; le personnel de base doit avoir des compétences et des intérêts tout à fait particuliers.

6. Plus équitable envers les hommes et les femmes :

Par leur caractère organique, les réseaux sont plus aptes à faciliter les horaires de travail souples et les tâches limitées, ce qui permet aux hommes et aux femmes de faire face plus facilement à leurs obligations familiales. Toutefois, les pratiques d'embauche et d'octroi des contrats doivent être compatibles avec la recherche de l'équité entre les hommes et les femmes.

Réseaux interorganisations

L'extrême précarité de l'environnement dans lequel les ONG exercent leurs activités stimule l'invention de nouvelles stratégies de coopération et de modèles organisationnels plus radicaux. La collaboration entre organisations n'est pas nouvelle, comme le montrent les nombreux conseils de métiers, groupes de coordination et associations professionnelles. Cette tendance ne risque pas de disparaître. Dans les années 80, bon nombre d'ONG canadiennes ont mis sur pied des consortiums et des coalitions afin d'administrer conjointement les fonds gouvernementaux et leurs fonds propres, généralement dans une région particulière du monde.

Ce qui est nouveau, à tout le moins chez les ONG canadiennes de coopération internationale, ce sont les efforts visant à mettre au point des stratégies d'action communes et à amener chaque ONG participante à s'engager à cet égard. L'exemple suivant décrit un projet de ce genre qui est toujours en réalisation, mais qui soulève de nombreuses questions sur les activités futures de cette nature.[*]

Étude de cas

Élaboration conjointe d'une stratégie dans un réseau d'ONG

Le Conseil provincial :

Le Conseil provincial est une association d'ONG de coopération internationale dont le siège social est situé dans une province du Canada. Le Conseil a consacré la majeure partie de la décennie à encourager la coopération entre les ONG. La recherche d'une entente sur des valeurs, une idéologie et un profil public communs et d'un équilibre entre l'autonomie des organismes et la nécessité d'avoir plus d'impact sur le public et sur les politiques, a constitué l'un de ses plus grands défis. Plus d'une fois, les tensions entre les membres ont risqué de faire avorter les progrès accomplis.

Fondé dans les années 70 grâce aux subventions fédérale et provinciale, le Conseil s'est doté d'un modeste secrétariat pour coordonner son travail. A l'origine, il avait pour mission d'augmenter l'impact collectif et individuel des membres dans la province, principalement en sensibilisant ses membres et en menant des campagnes collectives d'éducation du public. Deux perspectives

---

[*] Le budget fédéral canadien de février 1995 éliminait toutes les subventions à l'éducation au développement international, de même que les fonds fédéraux accordés aux conseils provinciaux des ONG engagées en développement international. Plusieurs organisations ont fermé leurs portes ou ont réduit leurs activités tout en tentant d'élaborer de nouvelles stratégies pour accomplir leur travail.

politiques s'affrontaient : celle des petites ONG d'éducation et de solidarité et celle des grandes ONG de développement appuyant des programmes outre-mer. Les petites ONG d'éducation critiquaient davantage le statu quo et elles réclamaient à grands cris des changements structurels; certaines ONG de développement partageaient cette opinion, mais beaucoup étaient satisfaites de travailler à l'intérieur de la structure de pouvoir en place, en tant que professionnelles et techniciennes du développement.

En 1985, une évaluation extérieure a révélé la gravité de ce manque de cohésion ainsi que les tensions politiques au sein du Conseil provincial. En partie pour résoudre ces problèmes, le Conseil a entrepris une planification stratégique en 1986, dans le but de définir la mission, les objectifs, les critères d'adhésion et les domaines d'apprentissage collectif : éducation, élaboration des politiques, communications et financement.

Le résultat n'a pas été entièrement satisfaisant. Le plan stratégique a permis la mise en place d'un certain nombre d'initiatives, mais n'a pas réussi à préciser la nature de cet organisme parapluie. Le Conseil provincial pouvait-il être plus grand que la somme de ses parties? Pouvait-il être plus qu'un lieu de réunion où les membres viendraient échanger, puis repartiraient chacun de leur côté?

La planification stratégique a néanmoins permis de faire une percée importante : après de longues discussions, les membres ont adopté une charte du développement. Le document final représentait un compromis politique acceptable pour tous les membres, un compromis idéologique. La Charte, adoptée en 1987, définissait un ensemble de principes acceptés, mais pas de stratégies communes.

Avec sa Charte, le Conseil pu se donner une mission explicite et cesser d'être une simple association de groupes oeuvrant dans le même domaine. La Charte lui donnait une vision applicable à son mandat, ses principes et son orientation : le Conseil allait être un carrefour de réflexion et d'élaboration de positions communes sur des questions cruciales de développement (femmes et développement, droits de la personne et développement, endettement du tiers monde, ajustement structurel, politique provinciale de développement international, etc.). Il était cependant beaucoup plus facile de réfléchir ensemble que de créer une base d'action collective et de faire pression sur les politiques, car cela exigeait des membres qu'ils s'engagent plus fermement à faire consensus, à réaliser des actions collectives et à résoudre l'opposition entre intérêts individuels et intérêts collectifs.

Les membres ont finalement été poussés à l'action par la réduction des subventions fédérales et par l'accélération des changements dans le monde, suite à l'effondrement des structures économiques et politiques de l'après-guerre. La communauté des ONG de la province devait revoir sa position stratégique sur les problèmes de développement. En 1992, le Conseil a mis en branle un processus de révision de ses priorités.

Élaboration d'une stratégie interagences

Au début de 1992, le Comité des programmes, un mécanisme regroupant des membres du personnel et du conseil d'administration, a entrepris une vaste consultation sur les priorités du Conseil. La consultation a révélé que beaucoup d'organisations membres du Conseil étaient prêtes à entreprendre des actions collectives, en particulier dans le domaine des politiques. L'examen de la politique étrangère, mené par le CCCI, avait aussi aidé à l'élaboration de stratégies communes. Mais la consultation a soulevé une foule de questions stratégiques qui ont semé l'inquiétude sur la visibilité de chaque organisation vis-à-vis des enjeux politiques, sur les communications avec l'extérieur et sur les divergences politiques.

Le plan élaboré par la suite constituait une réalisation majeure. Il créait une structure de coordination innovatrice composée de groupes de travail et de comités qui ont canalisé les énergies d'un nombre important d'ONG, en plus de celles du personnel.

Malgré le succès de cette initiative, certaines réserves demeurent quant à la solidité de cette nouvelle alliance stratégique et au degré d'engagement de chaque organisation. L'expérience montre bien la difficulté de rassembler un groupe divers d'organisations dont la mission, les approches en matière de programmation et l'ordre du jour politiques sont différents.

Aussi importantes qu'aient été la planification et la participation, le Conseil provincial n'a pas réussi à résoudre certains problèmes organisationnels majeurs. Premièrement, il n'a pas l'autorité politique qu'il lui faudrait pour prendre des décisions ayant des conséquences pour les ONG individuelles. Les personnes qui siègent au conseil d'administration n'ont pas le mandat d'agir au nom de leur ONG respective. Deuxièmement, les membres du Conseil provincial n'acceptent pas facilement que les autres membres fassent des remarques sur leurs activités. La culture d'autocritique est presque inexistante. Cette lacune importante signifie que le Conseil n'exerce pas pleinement le contrôle sur son travail.

Que nous enseigne cette expérience?

- Pour dégager un consensus politique sur une stratégie commune, il faut un apprentissage prolongé qui respecte les différences des membres et qui fasse ressortir les valeurs et les besoins communs. Avec le temps, le Conseil y est parvenu, grâce à un processus de discussion, de réflexion et d'activités communes, en commençant par la rédaction d'une charte du développement.

- Le changement doit être progressif, créer un terrain d'entente entre les organisations ainsi que de la confiance.

Malgré tous ces efforts, le Conseil n'a pas obtenu que ses membres lui rendent compte de la réalisation des tâches acceptées par tous par rapport à une initiative commune. Peut-être le Conseil n'arrivera-t-il jamais à obtenir plus qu'un accord volontaire sur les principes d'une charte ou sur un code d'éthique. Il se pourrait que ce soit trop demander aux membres que de troquer leur autonomie organisationnelle pour l'impact collectif. Chaque ONG devrait en effet céder une partie de son autorité; en échange, elle serait généralement moins vulnérable et l'action du groupe serait plus convergente et plus cohérente.

Éléments de réussite dans la collaboration interagences

Il ne faut pas en conclure que la collaboration interagences est irréaliste. Il existe de nombreux exemples de partenariats et de

Analyse de cas

projets communs, moins ambitieux peut-être, mais qui fonctionnent bien néanmoins. Des ONG canadiennes ont collaboré dans le but d'élaborer et de réaliser de programmes conjoints en Amérique centrale, en Afrique australe et ailleurs dans le monde. Les ONG de développement ont aussi collaboré dans beaucoup d'autres pays pour réaliser ensemble des programmes, des campagnes publiques ou des programmes d'éducation.

La collaboration donne de meilleurs résultats quand les ONG négocient leurs rôles respectifs et l'autonomie de décision qu'elles auront dans des domaines bien définis. Voici cinq caractéristiques des projets de collaboration réussis :

Critères influençant le succès d'une collaboration

- les organisations font le choix de travailler ensemble, c'est-à-dire que leur collaboration ne découle pas du fait qu'elles sont membres d'une association plus importante;
- elles partagent des valeurs et des approches communes dans le travail en question;
- la responsabilité est partagée et le rôle de chaque organisation est clair;
- la collaboration est limitée dans les faits et dans le temps;
- le projet commun constitue un aspect central, et non marginal, du programme de chaque organisation participante.

Dans l'exemple plus haut, le Conseil provincial est une association ouverte à toutes les ONG de développement de la province et ses buts sont généraux et flexibles. Il est donc plus difficile de susciter, à l'égard des programmes, une collaboration stratégique qui engage les organisations; il faudra y travailler à long terme et amorcer un certain changement dans chaque organisation participante de même qu'au sein du Conseil lui-même.

Les réseaux de tout genre peuvent en tirer quatre leçons :

1. Il est préférable que les organisations travaillent ensemble sur des projets précis, qui touchent des programmes qui sont considérés comme essentiels par tous les membres participants.

2. La collaboration doit ajouter de la valeur au travail du groupe ou résoudre d'importants dilemmes – la somme doit être plus grande que les parties.

3. L'absence de structures traditionnelles souligne l'importance d'un leadership solide, capable de bâtir et de maintenir un réseau de relations.

4. Le partenariat doit disposer de ressources pour la mise en oeuvre du projet et pour la collaboration elle-même. Les réunions, l'échange d'information, la recherche entreprise en commun, les comptes rendus, tout cela exige du temps de la part du personnel de chaque organisation membre. Les plans de travail doivent prévoir ces activités collectives, ou alors il faut attribuer pour ces dernières suffisamment d'argent pour engager à contrat le personnel requis.

Dans ce chapitre, nous avons examiné quatre structures et en avons évalué l'efficacité dans l'environnement actuel qui est en constante évolution. Six critères ont été utilisés.

Le tableau qui suit résume cette discussion.

Dans toute restructuration, les leaders de l'organisation, c'est-à-dire le personnel et le C.A., doivent bien comprendre les critères du changement et veiller à ce que la structure respecte ces critères. Pour assurer le succès de la restructuration, le personnel doit à tout prix participer pleinement; le changement ne doit pas être planifié derrière des portes closes. Le processus décisionnel menant à l'implantation d'une nouvelle structure est une occasion pour le personnel de s'approprier le changement et de s'y engager. C'est également l'occasion de s'attaquer de front aux conflits et à la confusion.

Performance des modèles organisationnels

Critères	Hiérarchie	Équipe	Matrice	Réseau
Plus efficace et plus petite	faible-moyenne	moyenne	moyenne	élevée
Plus grande imputabilité	élevée	moyenne	moyenne	élevée
Plus centrée sur la mission et la stratégie	moyenne	élevée	élevée	élevée
Plus souple et capable de réagir	faible	moyenne	élevée	élevée
Plus conforme à la culture	dépend de l'organisation			
Plus équitable envers les femmes et les hommes	faible	moyenne	moyenne	élevée

À l'avenir, ce n'est peut-être pas le choix d'une structure pour une organisation en particulier qui posera un défi, mais l'élaboration de formes nouvelles de partenariat entre organisations. Les réseaux sont susceptibles de répercussions plus grandes et de programmes plus novateurs, mais nous devrons résoudre les difficultés très humaines propres à tout partenariat : la confiance, le respect et la reconnaissance des approches différentes. Si de nombreux collègues considèrent que l'établissement de nouvelles formes de collaboration est la voie de l'avenir, le cas du Conseil provincial nous rappelle que ces collaborations ne sont pas faciles à établir.

Références

1. Galbraith, J. et Lawler E. & Associates, *Organizing for the Future, The New Logic for Managing Complex Organizations,* San Francisco, Jossey-Bass, 1993.

2. O'Toole, J., *Vanguard Management, Re-designing the Corporate Future*, New York, Doubleday, 1985.

3. Mills, A., Tancred, P., eds. *Gendering Organizational Analysis*, Newbury Park, Sage, 1992.

4. Helgesen, S., *The Web of Inclusion*, New York, Currency/Doubleday, 1995, 10.

5. Goetz, Anne-Marie, "Gender and Administration", IDS Bulletin, vol. 23, no. 4, 1992.

6. Limerick, D., Cunningham, B., *Managing the New Organization, A Blueprint for Networks and Strategic Alliances*, San Francisco, Jossey-Bass, 1993; Rahnema, S., *Organization Structure: A Systemic Approach*, Toronto, McGraw-Hill Ryerson, 1992; Handy, C., *The Empty Raincoat, Making Sense of the Future*, London, Hutchison, 1994.

7. Limerick, D., Cunningham, B., *op. cit.*

8. Kelly, K., *Out of Control, The Rise of Neo-Biological Civilization*, Reading, Addison-Wesley, 1994, 88.

9. Cumming, L., avec Bill Singleton, "Organizational Sustainability – An End of the Century Challenge for Canadian Voluntary International Development Organizations", exposé présenté à la onzième Conférence annuelle de l'Association canadienne d'études de développement international, Université du Québec à Montréal, le 6 juin 1995.

TROISIÈME PARTIE

La mise en oeuvre du changement : le processus et les outils

Les deux premières parties de cet ouvrage ont traité de la situation des ONG et des organisations volontaires ainsi que des changements qu'elles doivent apporter. Nous avons dit que l'avenir des ONG était incertain du point de vue financier et, pour certaines, du point de vue de leur pertinence. Nous avons discuté de problèmes aussi urgents que l'imputabilité, le moral du personnel et la qualité du leadership stratégique. Nous avons ensuite signalé les hypothèses qui sous-tendent l'approche bureaucratique de l'organisation du travail en nous arrêtant en particulier à la bureaucratie, à la hiérarchie et au patriarcat. Pour remplacer le statu quo, nous avons proposé l'apprentissage organisationnel et la gestion du changement. Enfin, nous avons présenté différentes manières d'aborder les trois leviers du changement que sont la culture, la stratégie et la structure.

Il reste à examiner *comment* on met en oeuvre ce changement. Les deux prochains chapitres décrivent le processus du changement. Dans le chapitre 6, on voit comment le changement est mis en oeuvre dans les ONG et les organisations volontaires ainsi que les trois étapes du changement : le démarrage, la transition et la résolution. Au chapitre 7, des outils sont décrits, qui ont grandement facilité le changement à caractère participatif.

Finalement, le dernier chapitre résume les capacités, orientations et «attitudes» qu'il faudra développer pour maintenir le cap dans la mer houleuse de l'avenir.

Changement organisationnel : le processus

6

«Nous n'avons pas de processus de changement. Le changement, nous le faisons tout le temps.»

Le directeur général d'une ONG

CE CHAPITRE SE DEMANDE DE QUELLE MANIÈRE ON «fait le changement», c'est-à-dire les étapes suivies. On peut toujours s'en sortir sans processus, comme s'en vante ce directeur général, se fier à son instinct et à la bonne volonté. Mais on peut aussi s'y prendre de manière plus décisive.

Ampleur et profondeur du changement

Plusieurs distinctions s'imposent sur la nature du changement dans les organisations. La première concerne son ampleur. Un changement local peut toucher une région, un bureau ou même les fonctions d'une personne, sans viser l'ensemble des régions ou des descriptions de tâches. Mais, parfois, il touche l'organisation toute entière; c'est celui qui nous intéresse.

Le changement «au premier degré» se fait à l'intérieur d'un paradigme existant.

La changement «au second degré» modifie les principes moteurs de l'ONG, la définition même de sa mission.

Une deuxième distinction, plus fondamentale, concerne la *profondeur* du changement.[1] Le changement «au premier degré» se fait à l'intérieur d'un paradigme existant. Prenons l'exemple de l'élection d'un nouveau gouvernement : des députés arrivent, d'autres partent; leur vie sera changée. Mais plus profondément, la vie continue : la distribution du revenu reste la même, le rôle de l'armée reste inchangé, l'élite au pouvoir contrôle les biens du pays. Autrement dit, le changement s'est effectué, mais à l'intérieur du paradigme existant.

Le changement «au second degré» modifie les principes moteurs de l'ONG, la définition même de sa mission. Une ONG de coopération internationale par exemple, qui aurait débuté avec les secours d'urgence et trouvé des fonds pour envoyer du matériel dans les pays pauvres, prend conscience, avec le temps, que le problème n'est pas seulement la pauvreté mais l'impuissance des populations pauvres. Sa prise de conscience amène éventuellement l'organisation à totalement se réorienter: nouveaux membres au C.A., nouveau personnel, nouvelle stratégie centrée sur le changement politique, culture alimentée par les idées d'égalité politique, nouveaux partenaires ayant des buts similaires et nouvelle structure organisationnelle.[2]

Le changement au second degré n'est pas nécessairement meilleur que celui au premier degré. D'habitude, en effet, les organisations, les sociétés et les individus apprennent et changent au premier niveau. La situation exigera, à l'occasion, un changement au deuxième niveau.

Nous verrons trois types de changement résultant des distinctions entre le changement localisé et le changement organisationnel, et entre le changement au premier degré et le changement au second degré :

I   L'innovation
II   L'amélioration organisationnelle
III La reconstruction organisationnelle

I L'innovation

Innover, c'est établir de nouveaux programmes, de nouvelles

méthodes et même de nouvelles structures qui améliorent le fonctionnement de l'organisation. L'innovation est souvent attribuable à une personne qui agit dans le cadre de ses fonctions; elle requiert toutefois la participation de nombreuses gens qui aident à fignoler l'idée, lui trouvent des appuis et la mettent en application.

L'innovation, c'est le changement à l'intérieur du paradigme existant; le plus souvent, elle est localisée : nouveau mode de conciliation bancaire, élaboration d'un nouveau programme dans une région donnée, organisation d'activités de collecte de fonds telles que la campagne pour les droits de la personne organisée autour des concerts rock donnés partout dans le monde.

L'innovation peut être administrative, telle que l'implantation du courrier électronique pour informer rapidement le personnel terrain sur l'organisation, ou la préparation d'une réunion pour traiter du moral du personnel. Ces innovations résultent du travail et des responsabilités d'employés particuliers, de leur énergie, de leur créativité.

Ces changements, qui ne visent pas la manière d'être globale de l'organisation ont généralement des effets limités.

Dans un environnement favorable à l'innovation :

- Les communications latérales circulent librement;

- Le personnel a beaucoup de latitude en matière de prise de décision;

- Des pressions sont exercées en faveur de l'apprentissage : on mousse le sentiment qu'il faut continuer à changer pour demeurer pertinent et efficace; on remet en question les attentes des cadres et des membres du C.A., afin de susciter l'innovation dans la résolution des problèmes organisationnels;

- L'établissement de liens enrichissants est encouragé entre le personnel et les collègues, les partenaires et les bailleurs de fonds de l'extérieur;

- Des ressources soutiennent l'apprentissage sous toutes ses formes.[3]

Innovation organisationnelle :
L'innovation, c'est le changement à l'intérieur du paradigme existant; le plus souvent, elle est localisée.

Ressources pour le changement
- budgets de recherche,
- temps du personnel,
- consultantes et consultants,
- cours,
- projets pilotes,
- visites sur le terrain,
- ateliers et autres forums participatifs,
- évaluations

- L'apprentissage est récompensé par un statut plus élevé, un meilleur accès à l'information et la possibilité de relever des défis plus intéressants.

Mais il se peut que l'innovation soit insuffisante, qu'un changement plus vaste soit nécessaire pour régler des problèmes de fond.

II Amélioration organisationnelle

Amélioration organisationnelle :
L'«amélioration» étend le changement à la grandeur de l'organisation à l'intérieur de son paradigme de fonctionnement.

L'«amélioration» étend le changement à la grandeur de l'organisation à l'intérieur de son paradigme de fonctionnement même si elle peut déborder le paradigme existant. Idéalement, on détermine les améliorations à apporter quand on élabore la stratégie, et ce choix s'inscrit dans l'ensemble des réponses aux questions stratégiques. L'amélioration se traduira par exemple par une nouvelle orientation : élaboration d'une politique d'égalité entre hommes et femmes, nouveau plan stratégique, nouvelles structures décisionnelles. L'amélioration se distingue de l'innovation par le fait qu'elle se répercute sur une grande partie du fonctionnement de l'organisation et dépassant la responsabilité d'une seule personne ou d'un seul groupe. L'amélioration relève plutôt d'un comité inter-services.

Elle nécessite le plus souvent les étapes suivantes, mais peut être abandonnée à n'importe quelle moment ou se réduire à une innovation.

Étapes de l'amélioration organisationnelle

L'amélioration organisationnelle commence par **un choix** : parmi toutes les possibilités d'amélioration, les leaders en choisissent une. Vient ensuite la **définition du problème**, la décision quant aux ressources à investir et la mise en place de l'équipe chargée d'apporter l'amélioration. Pour définir le problème, l'équipe effectue d'habitude de la recherche, de la collecte d'information et de l'**enrichissement des connaissances**. Ces connaissances servent à **concevoir** un plan de l'amélioration qui est

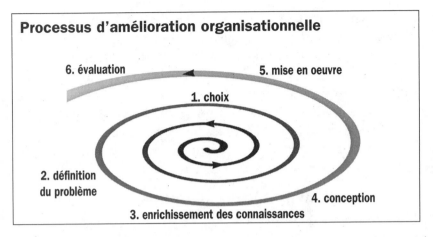

Processus d'amélioration organisationnelle

6. évaluation — 5. mise en oeuvre — 1. choix — 2. définition du problème — 3. enrichissement des connaissances — 4. conception

ensuite négocié et discuté au sein de l'organisation. Cette étape est cruciale car l'amélioration va modifier la manière de travailler de nombreuses personnes, leurs rapports et leurs ordres du jour. Aussi faut-il élaborer l'amélioration de manière qu'elle réponde aux besoins de la majorité des membres et des leaders et qu'elle gagne leur appui. Si cet appui se concrétise, l'amélioration est **mise en oeuvre**. Durant la mise en oeuvre, on découvre que les choses sont plus compliquées que prévu et qu'il faut modifier le plan. La spirale action-plan se poursuivra indéfiniment ou prendra fin rapidement, selon la complexité de l'amélioration.

Le programme sur les rapports femmes-hommes mis sur pied par l'ONG de l'Asie du Sud, et décrit au chapitre deux, offre un bon exemple d'amélioration organisationnelle. En voici les étapes :

Les rapports femmes-hommes : formation au sein d'une ONG asiatique

1. Le choix

Le directeur général pensait depuis longtemps déjà que les rapports femmes-hommes dans le développement était importante. Même si son organisation travaillait surtout avec les femmes, l'amélioration de la qualité des rapports entre hommes et femmes au sein même de l'ONG lui semblait importante. Les donateurs aussi avaient exercé des pressions en ce sens. L'ONG avait tenté plusieurs innovations (engageant par exemple plus

Cas type

de femmes et mettant sur pied un Comité des femmes), mais les résultats n'étaient pas satisfaisants. Lors d'une conférence, le directeur avait assisté à un exposé sur le sujet, qu'il trouva fort utile. Il a demandé à la conférencière si elle accepterait de travailler avec son organisation et a consulté d'autres cadres de l'organisation pour vérifier s'ils appuyaient l'idée. La suite de la définition du problème, des pressions, de la rencontre de la conférencière et le sentiment qu'il était temps d'agir, tout avait convergé pour l'encourager à aller de l'avant.

2. Définition du problème, allocation des ressources et sélection de l'équipe :

Une fois la décision prise, on a commencé à discuter de la question et de la façon de procéder. L'organisation a défini les objectifs et a prise deux décisions majeures. D'abord, elle allait considérer la question non pas comme un problème de formation, mais comme un problème de culture organisationnelle. La participation des femmes à l'organisation était limitée de plusieurs manières, même si ce n'était pas toujours intentionnel. Autrement dit, l'embauche d'un plus grand nombre de femmes ne suffisait pas, il fallait faire de l'organisation un lieu où les femmes resteraient, obtiendraient de l'avancement et apporteraient une contribution.

La deuxième décision a été de constituer une équipe composée de gens de l'organisation et de l'extérieur. Les personnes de l'intérieur apporteraient leurs connaissances de l'organisation et celles de l'extérieur l'expertise technique et de nouveaux points de vue. Elles offriraient une formation sur la question des rapports femmes-hommes mais aussi de l'expertise en développement organisationnel.

Une fois ces décisions prises, on a trouvé assez de fonds pour qu'il soit possible de faire un effort sérieux.

3. Collecte de l'information et enrichissement des connaissances :

Quand l'équipe a commencé son travail, les notions de «rapports femmes-hommes» et de «prise en charge de sa vie» étaient confuses. Pour orienter le travail et unifier la compréhension, elle a donc commencé par clarifier ces termes et d'autres également. Elle a conçu un cadre dont elle a fait l'essai auprès de différents groupes y compris la haute direction. Le cadre de travail s'en est trouvé enrichi et il a servi de base pour évaluer les besoins et discuter des rapports femmes-hommes dans l'ensemble de l'organisation. Ayant compilé les résultats relatifs aux besoins, l'équipe en a discuté avec les cadres lors d'un atelier de deux jours.

À la suite des discussions, le C.A. s'est donné trois objectifs de programme pour favoriser la capacité des femmes de prendre en charge leur propre vie :

a) Augmenter la capacité des femmes d'être autonomes sur le plan économique;

b) Augmenter chez les femmes la confiance en soi, la compréhension de leurs droits et la capacité de les négocier au foyer et dans la collectivité;

c) Augmenter chez les femmes le contrôle sur leur corps, sur leur temps et sur leurs déplacements, ce qui comprend le droit d'être à l'abri de la violence.

Concernant la transformation des rapports femmes-hommes, l'analyse a permis d'élaborer quatre stratégies :

1. Augmenter la capacité des hommes et des femmes d'analyser et de réinventer leurs rapports, en matière de pouvoir par exemple, afin de les transformer;

2. Rendre équitables l'accès aux ressources publiques et privées ainsi que le contrôle de ces ressources;

3. Favoriser une participation équitable à la vie du foyer, de la collectivité et du pays;

4. Réorganiser les institutions et les organisations sociales pour y inclure d'autres approches en matière de rapports femmes-hommes, profitables pour tous.

Le succès de l'étape exigeait le «partage des connaissances». L'équipe du changement ne pouvait se contenter de bien comprendre les questions, leur importance respective et la nature d'une bonne stratégie de changement; les cadres et les autres membres de l'organisation devaient, eux aussi, bien les comprendre.

Principaux points du cadre de travail :

1. Commencer avec les buts avoués concernant l'égalité entre les femmes et les hommes et la prise en charge de leur vie par les femmes;

2. Définir ces deux notions en des termes qui sont pertinents pour l'organisation;

3. Aux pressions exercées par la haute direction, joindre sur le terrain une démarche qui apporte un soutien et qui fait appel à la participation.

Dans le cas de l'ONG de l'Asie du Sud, à la suite de l'atelier de planification, la chef d'équipe a rencontré individuellement les cadres pour poursuivre le processus de création des connaissances. Les cadres étudiaient la question même dans leurs réunions. Quand il y a eu suffisamment de consensus, on a commencé l'élaboration du plan.

4. Élaboration du plan

En général, l'élaboration part des choses à faire et se traduit par un plan d'intervention détaillé. À mesure que l'orientation se précise et s'enrichit de détails, les anciennes ententes doivent souvent être renégociées, car les gens se rendent compte de ce qui les attend. Dans l'exemple précédent, l'équipe qui travaille sur les rapports femmes-hommes a conçu un programme d'«action-apprentissage» pour former sur place le personnel regroupé par services. Ces derniers ont lancé de petits projets d'amélioration des rapports, pour faire découvrir au personnel les hypothèses implicites qui déterminent la répartition des tâches et des ressources entre les hommes et les femmes et pour les remettre en question. Lorsque les cadres se sont rendu compte que la formation serait fort différente des formations antérieures, ils ont participé à l'élaboration du plan pour qu'il soit réalisable, compte tenu d'autres aspects du travail.

5. La mise en oeuvre :

Voici l'étape où les risques et la résistance sont les plus élevés. C'est une étape très exigeante; il faut former les formateurs et les formatrices, gérer les échéances et la logistique et faire face aux inévitables résultats imprévus. C'est aussi l'étape où le processus échappe aux personnes qui l'ont conçu et proposé, où un public plus vaste se l'approprie avec le risque des malentendus, déformations et erreurs possibles. Il convient donc d'en suivre attentivement le déroulement, de rencontrer régulièrement les principaux acteurs et d'être prêts à modifier le processus à mesure qu'on acquiert plus de connaissances.

6. Évaluation :

Au moment d'écrire ces lignes, une équipe se prépare à évaluer le programme sur les rapports femmes-hommes. Elle en évaluera les effets, mais cherchera aussi à bien le comprendre afin de reformuler le programme, de le réutiliser de manière soutenue, dans le but de transformer les rapports femmes-hommes.

Principaux facteurs de l'amélioration organisationnelle :

La réussite de l'amélioration dépend des mêmes conditions que pour l'innovation. Mais parce que l'amélioration organisationnelle influe sur le travail de beaucoup plus de personnes que l'innovation, deux éléments s'ajoutent :

1. Les équipes de travail doivent refléter des expériences et des perspectives différentes, afin de comprendre à fond la situation. Elles doivent en outre bien maîtriser les techniques d'analyse et être capables d'enrichir *ensemble* les connaissances.

2. Les solutions préconisées par l'équipe doivent répondre aux exigences, parfois contradictoires, des différents acteurs liés à l'organisation. Cela signifie que l'équipe doit pouvoir négocier et façonner une solution répondant à différentes exigences.

L'équipe entretiendra donc d'excellents rapports avec le reste de l'organisation et maintiendra la communication avec tous les acteurs.

L'amélioration organisationnelle, nous l'avons dit, est généralement un changement au premier degré, c'est-à-dire qui ne modifie pas en profondeur la façon de faire les choses dans l'organisation. Par exemple, un nouveau plan stratégique confirmera d'anciennes valeurs, invitera d'anciens partenaires à travailler, mais de manières différentes, ou fixera des objectifs plus ambitieux. Rien de tout cela ne bouleverse l'organisation. L'amélioration organisationnelle, par contre, entraîne parfois l'organisation dans une reconstruction beaucoup plus profonde.

III Reconstruction organisationnelle

Une ONG a créé le comité «Rien ne va plus», une autre, le comité «L'an 2000 arrivera-t-il?». Dans les deux cas, les leaders se sont rendu compte que les circonstances exigeaient une refonte des prémisses fondamentales de l'organisation. L'élan provient presque toujours d'une crise qu'on ne peut résoudre par un sim-

La reconstruction organisationnelle exige une refonte des prémisses fondamentales.

ple remaniement et qui est suffisamment contraignante pour exiger un changement radical que le secteur privé appelle «réingénierie».

Quand une ONG amorce un changement de cette envergure, cela implique habituellement un changement de stratégie, de structure et de culture. Cette période est tantôt effrayante, tantôt stimulante, tantôt exigeante, tantôt libératrice, pour les gens qui la vivent. Mais elle est toujours trépidante et chaotique. Les leaders jonglent avec plusieurs tâches à la fois, toutes mal définies, toutes urgentes et souvent ennuyantes.

S'il faut se donner un modèle de reconstruction organisationnelle, c'est à cause de la difficulté de prendre du recul face au chaos et aux trépidations, c'est pour saisir la continuité et pour ne pas simplement réagir aux événements. Le reste du chapitre porte sur un modèle de reconstruction organisationnelle mis au point à partir du travail réalisé auprès de nombreuses organisations à but non lucratif nationales et internationales.

La reconstruction organisationnelle

La reconstruction organisationnelle se fait en trois étapes :

1. Le démarrage :

Cette étape permet de passer de l'inquiétude et de la perception des difficultés organisationnelles à un ensemble d'activités intéressantes. Les gens découvrent pourquoi le changement est nécessaire, en définissent la pertinence pour eux et pour elles, et s'entendent sur le processus à suivre. C'est l'étape du «dégel», assorti d'un inconfort et d'une confusion indéniables, en même temps que commence la recherche des grandes réponses. Le dégel résulte d'un événement qui bouleverse et traumatise et qui provoque le changement, comme dans le cas d'INGO au chapitre 3, quand le C.A. a rejeté le plan de réductions de la direction. Une fois le dégel passé, on ne peut plus revenir en arrière.

2. La transition :

Quand l'organisation commence à «vivre» et à penser sa nouvelle approche mais qu'elle est encore coincée dans ses anciennes manières de faire, elle entre dans la transition. C'est souvent un temps de conflits et de découragement, mais aussi d'enthousiasme causé par la naissance qui approche. A plusieurs égards, l'organisation est schizophrène, car elle fonctionne avec deux ensembles de principes et de valeurs : l'ancien et le nouveau qui s'apprête à naître. Les leaders et le personnel trouveront sans doute extrêmement difficile d'agir en fonction de nouvelles priorités et de proposer de nouveaux comportements.

La tâche à cette étape consiste à préparer les détails du changement de manière à intéresser tous les acteurs liés à l'organisation pour qu'ils s'approprient le changement tout en abandonnant les vieux mécanismes.

3. La résolution :

C'est la mise en oeuvre et la gestion de la stratégie, qui visent à ce que la nouvelle façon d'être devienne éventuellement la norme pour l'organisation.

Même si elle comporte trois étapes distinctes, la reconstruction organisationnelle se déroule souvent par cycles : le démarrage mène à une transition et à une résolution, qui amorce à son tour un autre démarrage à un autre niveau, vers une autre transition, etc.

Chaque étape comporte trois tâches : susciter **l'appui**, encourager **la clarté**, et passer à **l'action.**

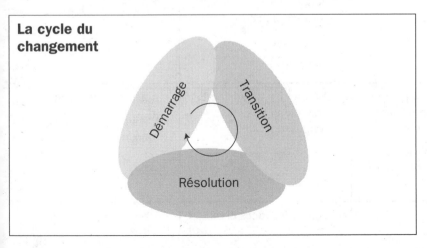

La cycle du changement

Démarrage

Transition

Résolution

En combinant les trois étapes et les trois tâches, on obtient le tableau suivant :

Ce tableau, qui illustre les tâches requises à chaque étape du changement, rappelle qu'il faut sans cesse penser à plusieurs choses à la fois. À l'étape du démarrage, par exemple, les leaders doivent former l'équipe du changement, recueillir l'information, cerner les enjeux, et ainsi de suite.

I Première étape – Le démarrage

Examinons le tableau de plus près. On voit que le démarrage est en fait consacré à l'analyse; c'est le moment où l'on détermine si l'organisation est prête à changer, s'il y aura ou non des gens pour travailler au changement et pour l'appuyer. C'est aussi le moment où l'on commence à recueillir l'information et les idées,

	DÉMARRAGE	**TRANSITION**	**RÉSOLUTION**
APPUI	• Évaluer – susciter la bonne volonté • S'entendre sur le processus • Mettre sur pied une équipe du changement • Analyser l'organisation et son milieu • Communiquer • Sensibiliser	• Mettre sur pied une équipe mixte de planification • Formation • Faire face aux conflits et au deuil • Approbation du C.A. • Dédommager les gens pour leurs pertes • Communiquer • Sensibiliser	• Maintenir l'élan • Obtenir un feedback • Lancer de nouvelles initiatives en vue du changement • Communiquer • Sensibiliser
CLARTÉ	• Comprendre les problèmes et le «pourquoi» du changement • Élaborer une vision et une stratégie collectives	• Préciser les détails de la stratégie et des choix organisationnels	• Aplanir les difficultés • Établir de nouveaux objectifs de changement
ACTION	• Agir autrement	• Essayer les idées clefs	• Mise en oeuvre intégrale

pour que les enjeux soient clairs et pour que la nouvelle vision, c'est-à-dire l'idée générale de ce qu'on veut accomplir après avoir analysé les facteurs décisifs au sein de l'organisation et de son milieu, soit ancrée dans les besoins de la majorité. La vision est déterminante puisqu'elle constitue *le catalyseur émotif* et qu'elle représente ce à quoi on aspire.

Il importe à cette étape que les leaders commencent à refléter, par leur comportement, le changement qu'ils s'efforcent de promouvoir. Si par exemple, le changement vise l'amélioration du fonctionnement démocratique, alors il faut refléter cette valeur.

Tâches associées au démarrage

À chaque étape des tâches concernent spécifiquement l'appui, la clarté et l'action, comme l'indique le tableau qui précède.

Appui

Ce premier volet de la première étape compte cinq grandes tâches :

1. Susciter la bonne volonté

Le C.A. et le personnel répondent-ils à un certain type de pression? Existe-t-il au moins une des orientations du changement qui suscite un appui? A-t-on les ressources (énergie, temps, argent, expertise) nécessaires? Un nombre suffisant de leaders favorables au changement sont-ils disposés à y consacrer deux ou trois ans?

Une ONG a réalisé des journées d'études avec le C.A. et le personnel pour susciter la bonne volonté et faire naître les rapports qui sont nécessaires au changement. Elle a formé un comité de «planification du plan» qui a pris conscience du fossé qu'il fallait combler entre le C.A., le personnel et la direction et de la confiance qu'il fallait faire renaître avant d'entreprendre un changement important.

2. S'entendre sur le processus

On doit s'entendre, dès le début, sur la nature du changement, pour ensuite en discuter le plus largement possible : changer en vue de quoi, comment y participer, comment recueillir et

démarrage

appui

analyser l'information, quels secteurs seront sans doute touchés, quand et comment les membres prendront-ils les décisions.

3. *Mettre sur pied une équipe du changement*

Un changement à grande échelle doit être géré par des personnes précises. L'équipe devra regrouper des personnes ayant des points de vue et des intérêts différents, et considérées comme légitimes par la majorité. Cela ne veut pas dire que chaque service doit être directement représenté; en général quatre ou cinq personnes représentant le personnel et le C.A. forment une bonne équipe. Les membres doivent être capables de bien travailler ensemble.

4. *Développer un savoir commun*

Suscitez la plus grande participation possible à l'analyse. On trouve plus loin des détails sur l'analyse, mais l'important, c'est de développer un savoir commun au sein de l'organisation pour que la nécessité du changement soit de mieux en mieux comprise.

5. *Communication*

Il n'y a jamais trop d'informations sur la situation; l'important, c'est de trouver de nouveaux moyens pour tenir les gens informés. Autrement, l'imagination et les rumeurs alimentent les pires craintes. Toutes les ONG avec lesquelles nous avons travaillé ont organisé différentes réunions d'information et ont discuté avec le personnel. Dans une ONG, la directrice générale télécopiait chaque semaine son «Vendredi Info» à tous les bureaux et membres du C.A. pour leur relater les événements de la semaine. Ailleurs, des bulletins spéciaux rédigés à l'intention du personnel, des membres et du C.A.les a tenus au courant de ce qui se passe; de temps à autre, on publiait aussi des documents plus importants.

6. *Sensibilisation*

Le personnel et le C.A. doivent saisir les exigences du changement et acquérir les compétences nécessaires pour le réaliser. Une ONG tient des séances d'information pour le C.A. sur le processus en cours; une autre organise sur place des séminaires à l'intention des leaders, ou offre aux membres du personnel des sessions pour perfectionner leurs capacités de discuter, d'analyser la situation ou de résoudre les conflits.

Clarté

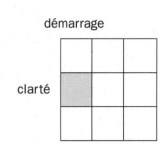

démarrage

clarté

Dans ce deuxième volet, la tâche principale consiste à faire l'analyse de l'organisation et de son milieu, afin d'élaborer une «vision» qui réponde à la situation. Cette vision est rarement bien précise, mais elle résume les éléments d'une solution qui répond aux questions et qui a l'appui des leaders, du personnel et des membres.

L'analyse peut prendre l'allure d'un exercice de planification stratégique ou d'une série moins organisée d'activités permettant d'analyser la situation et de «faire la lumière».

Entre autres méthodes d'analyse (détaillées au chapitre 7), mentionnons :

- La conférence d'investigation : une réunion de trois jours offrant une série d'activités structurées à des gens de l'organisation et à d'autres intervenants majeurs, en vue d'aboutir à une analyse et une compréhension communes de l'orientation que prend le changement.

- L'analyse des capacités et des vulnérabilités (voir chapitre 7) : se basant sur les quatre champs décrits au chapitre 2, un groupe de membres du C.A. ou du personnel peut faire ce genre d'analyse en deux ou trois heures.[4] Dans une ONG, les 80 employés regroupés par service ont effectué cette analyse. Chaque groupe était animé par un ou une employée formée à cette méthode d'analyse. Ensuite, l'équipe du changement a compilé les résultats et les a remis au personnel.

- Le miroir organisationnel : une organisation a invité six personnes de l'extérieur, qui la connaissaient bien, à décrire ce qu'elles considéraient comme ses forces et ses faiblesses. La réunion a été enregistrée sur vidéo, puis montrée au personnel et au C.A.

Le succès à ce stade-ci repose sur la participation élargie, sur la diffusion large de l'information et sur la mise en valeur des points communs plutôt que des différences idéologiques.

Action

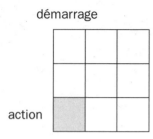

Même à l'étape du démarrage, l'action est importante. Les leaders du changement doivent coûte que coûte se comporter différemment, pour «commencer dès maintenant». On veut que l'organisation soit plus démocratique? Commençons à être plus démocratique, veillons à ce que le changement donne aux gens l'information et le pouvoir de vraiment participer. On veut être plus stratégique? Rendons le processus de changement plus stratégique. Si on agit conformément aux objectifs qui émergent, les gens feront confiance au changement; c'est en commençant à agir qu'on apprend comment réagir à une situation nouvelle. Par exemple, une ONG a créé une équipe multirégionale pour coordonner le processus de changement. Après quelque temps, la directrice générale s'est rendu compte que l'équipe constituerait un bon mécanisme de coordination des programmes et concorderait avec un des objectifs du changement, qui était justement d'améliorer la coordination des régions.

Deuxième étape – La transition

Quand il est devenu clair que le changement va avoir lieu et que ses grandes lignes sont tracées, suit une période de confusion. La transition est une période de conflit; les détails se précisent, annonçant la disparition de certaines façons de faire. C'est aussi une période stimulante, parce que la nouvelle organisation tente de naître.[5]

Il est illusoire d'espérer que les choses iront bien pendant la transition. Comme le rappelle Rosabeth Moss Kantor : «Chaque innovation manque son coup quelque part au milieu.»[6] L'important c'est d'apprendre de l'expérience et de continuer à redéfinir notre conception de l'organisation jusqu'à ce qu'on trouve une solution réalisable et acceptable.

La transition se réalise avec une équipe largement représentative et capable de préparer un plan détaillé. La principale tâche consiste à traduire l'idée générale dans un plan détaillé adapté à la situation donnée.

Les tâches associées à la transition :

Encore une fois, regroupons les tâches associées à la transition sous les volets appui, clarté et action.

<u>Appui</u>

Quand les gens se voient contraints à un changement majeur, ils réagissent soit avec nostalgie soit avec cynisme, soit les deux à la fois.[7] Ces réactions ne sont d'aucune utilité quand on est en pleine reconstruction organisationnelle. Ce qu'il faut, c'est soutenir les gens au niveau des relations de travail, au niveau personnel et au niveau émotif. Une ONG a prévu du temps pour que les employés expriment comment chacune et chacun se sentait de demeurer dans une organisation que beaucoup d'autres avaient quittée. Ainsi les gens participent directement au changement; les émotions et les conflits peuvent s'exprimer librement. Le conflit est un indicateur de stress et de deuil. Il faut l'aborder ouvertement au lieu de le réprimer dans l'espoir qu'il disparaîtra. (Cela est toutefois plus facile à dire qu'à faire, surtout quand le conflit remonte à loin et qu'il est solidement ancré.) Résoudre les conflits fait parfois avancer le processus et donne aux gens une véritable occasion d'influer sur son orientation.

La transition est une période très stressante pour le personnel; les charges de travail sont lourdes et on s'attend constamment à ce que des collègues quittent l'organisation en raison des nouvelles exigences de l'organisation en matière de dotation en personnel. De nombreuses ONG avec lesquelles nous avons travaillé ont pris des mesures spéciales pour soutenir leur personnel : ateliers sur la réduction du stress, la recherche d'emploi et la planification financière.

Ces mesures ne sont pas négligeables, mais elles sont insuffisantes. Pour franchir l'étape de transition, l'organisation doit communiquer aux membres et au personnel le sentiment que le changement est juste et honorable et que toutes les personnes

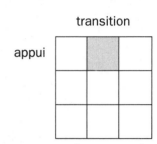

transition

appui

«Le changement est trop souvent considéré comme négatif, en partie parce qu'il y a beaucoup de conflits. Les conflits personnels doivent être examinés à la lumière des autres choses qui sont importantes pour les gens; par exemple, la peur de décevoir les gens et d'abandonner la mission.»

– Le directeur général, «Relations International»

qui travaillent pour elle sont appréciées, celles qui restent comme celles qui partent. La compensation financière joue à cet égard un rôle important.

La participation de même que les aspects émotifs du changement sont importants mais ils doivent être contrebalancés par la détermination ferme de garder le cap sur le but du changement, c'est-à-dire le contenu.

Clarté

Dans ce volet, la tâche consiste à élaborer en détail le changement décrit en termes généraux au moment du démarrage. Voici trois questions auxquelles sont habituellement confrontés les responsables du changement :

- Rendre la vision opérationnelle : Que signifie la vision pour le travail concret? (La vision, c'est ce qu'on veut accomplir après avoir analysé les facteurs décisifs au sein de l'organisation et de son milieu. La vision, c'est le catalyseur émotif, elle représente ce à quoi on aspire.) Quelles tâches faut-il éliminer? Quelle sera la nouvelle organisation du travail? Qui en est responsable? Va-t-on réussir ce changement, étant donné les valeurs et normes culturelles de l'organisation? Faudra-t-il modifier les valeurs et les «anciens» comportements?

- La structure : Quelle est la meilleure manière de structurer l'organisation si l'on veut concrétiser la vision?

- Bon gouvernement : Quelles implications la vision aura-t-elle pour le C.A.? Quels changements doivent être apportés à son rôle ou à sa structure?

Cette élaboration doit être faite *ensemble,* au moyen de mécanismes permettant à beaucoup de gens de participer à ce qu'on considérait auparavant comme une activité personnelle.

Dans une ONG, le personnel a conçu une nouvelle structure et de nouvelles méthodes de travail fondées sur la vision qui avait été élaborée par le C.A. et les membres. Il a utilisé, lors de trois ateliers successifs, des procédés graphiques pour inventorier les possibilités et isoler les objectifs et les orientations prioritaires. De plus petits groupes se sont penchés sur des aspects particuliers tels que la structure et la coordination. Le tout a été dirigé par une petite équipe composée de membres de la direction, du personnel des programmes et du personnel de soutien.

Action

La transition, c'est le temps d'apporter des changements sur le terrain, de créer des projets pilotes pour apprendre par l'expérience et, si possible, de mettre à l'essai certains aspects du changement avant de mettre en oeuvre ce dernier à la grandeur de l'organisation. Par exemple, une organisation régionale a implanté une nouvelle structure et un nouveau programme dans une région, les a évalués après six mois, puis les a mis en oeuvre, changements compris, dans d'autres régions.

Troisième étape – La résolution

La résolution, c'est un peu comme le printemps. Aucune journée précise ne marque la fin de l'hiver, mais un beau jour, on se rend compte qu'il fait plus souvent chaud que froid. La résolution, c'est la mise en oeuvre de la stratégie, c'est l'élan qui se maintient et c'est la définition de nouveaux objectifs de changement. A cette étape, les nouvelles exigences concernant l'effectif sont en place, les conflits diminuent et on peut souffler un peu maintenant que la semaine de travail est à peu près normale.

Les leaders, par contre, doivent continuer de susciter le feedback et d'y réagir, parce que va apparaître la tendance à se retrancher derrière les anciens modèles. Cette étape peut aussi être définie en fonction de l'appui, de la clarté et de l'action.

Les tâches associées à la résolution :

L'appui

Pour continuer à susciter l'appui à cette étape, il faut écouter attentivement ce qui se passe à mesure que les changements sont mis en oeuvre, perfectionnés et mis au point. Les choses n'iront pas tout à fait comme prévu, cela est inévitable, mais refuser de voir les problèmes ou les écarter sous prétexte qu'il y a une «résistance au changement» met en péril le succès du processus tout entier.

Clarté

Évaluez les effets du changement afin de peaufiner le plan et d'amorcer l'autre cycle qui donnera lieu à des changements, mineurs cette fois, il faut l'espérer.

Dans le tourbillon de la mise en oeuvre, on ne trouve pas facilement le temps ou l'argent pour bien évaluer; c'est pourquoi de nombreuses ONG planifient à l'avance le moment de l'évaluation.

Action

Dans une certaine mesure, la mise en oeuvre tire parti des succès des étapes précédentes : de la participation du personnel, par exemple, de la qualité du plan, etc. Cette étape comporte par contre quelques facteurs de succès qui lui sont propres :

1. Une planification soignée précisera qui est responsable de chaque élément en vue de quelle échéance;

2. Prévoir suffisamment de temps pour les réunions, pour la formation et pour la réorganisation aidera le personnel à assumer de nouveaux rôles. Certaines ONG, prévoyant être moins productives durant cette période, réduisent les activités en conséquence.

3. La discussion élargie des résultats imprévus du changement : les leaders devront considérer cette information non comme une critique du changement mais comme un élément nécessaire à sa mise en oeuvre.

4. Grande visibilité des leaders, qui font le lien entre tous les éléments et qui offrent un modèle du comportement auquel le personnel et les membres s'attendent.

Quels sont les principaux messages de ce chapitre? Le changement est partout présent, mais il se situe à différents niveaux dont il faut être conscient. Quelques fois, il suffit d'une innovation localisée, telle l'amélioration d'un programme en région. Souvent, un changement plus vaste est nécessaire, tel l'examen stratégique d'un programme, qui modifie le fonctionnement dans l'ensemble de l'organisation. Parfois, l'organisation doit repenser ses grands principes de fonctionnement et amorcer une reconstruction. Beaucoup de principes se retrouvent à chaque sorte de changement; mais plus le changement est profond, plus il faudra faire preuve de compétence et d'équité pour aller chercher la participation d'un grand nombre de personnes, et les amener à créer ensemble une meilleure organisation.

Références

1. Watzlawick, P., Weakland, J., Fisch, R., *Change, Principles of Problem Formation and Problem Resolution*, New York, Norton, 1974.

2. Korten, D., *Getting to the 21st Century, Voluntary Action and the Global Agenda*, West Hartford, Kumarian, 1990.

3. Mohrman, S., Mohrman, A., «Organizational Change and Learning» in Galbraith et al, *Organizing for the Future, The New Logic for Managing Complex Organizations*, San Francisco, Jossey-Bass, 1993.

4. Anderson, M., Woodrow, P., *Rising from the Ashes: Development Strategies in Times of Disaster,* Westview Press, 1989; Quinn, R., *Beyond Rational Management,* San Francisco, Jossey-Bass, 1988.

5. Bridges, W., *Managing Transitions, Making the Most of Change*, Reading, Addison-Wesley, 1991.

6. Kanter, R.M., *The Change Masters, Innovation for Productivity in the American Corporation*, New York, Simon and Schuster, 1984.

7. Marris P., *Loss and Change,* London, Routledge, Kegan, Paul, 1974.

Outils d'apprentissage organisationnel

7

L E PRÉSENT CHAPITRE DÉCRIT ONZE OUTILS SUSCEPTIBLES DE NOUS aider à apprendre ensemble et à atteindre les buts dont nous avons discuté. Ce sont avant tout des outils d'apprentissage collectif, des moyens d'encourager des groupes de gens à participer à l'apprentissage, à la planification et à l'action. La liste, qui n'est pas exhaustive, présente les outils qui nous ont été les plus utiles dans notre travail avec les ONG et les organisations volontaires.

Un avertissement : chacune et chacun d'entre nous a participé à des ateliers stimulants et prometteurs, dont le souvenir s'est toutefois estompé rapidement dès que les préoccupations quotidiennes et la pression du statu quo ont repris le dessus. Or, ces outils sont efficaces dans la mesure où la personne qui les utilise y met son énergie, sa bonne volonté, sa compétence et sa détermination. Après tout, ce ne sont pas les burins, si bons soient-ils, qui créent le meuble.

Chaque outil est complet et peut être utilisé tel quel. Vous pouvez reproduire les outils de ce chapitre et vous en servir avec un groupe. Pour que chaque outil soit complet en soi, nous avons reproduit des extraits des chapitres précédents ou d'autres outils.

Le chapitre se divise en quatre sections :

I. Outils d'analyse

    Outil no. 1. Guide d'évaluation organisationnelle – CCCI

    Outil no. 2. Miroir organisationnel

    Outil no. 3. L'organisation est-elle prête au changement?

    Outil no. 4. Images, sentiments et histoires

    Outil no. 5. Analyse à mi-parcours

II. Élaboration d'une stratégie

    Outil no. 6. Conférence d'investigation

III. Les gens et les relations

    Outil no. 7. Consolidation d'équipe

    Outil no. 8. Analyse des points de vue

    Outil no. 9. Carte des causes

    Outil no. 10. Le bocal à poissons

IV. Planification du changement organisationnel sur une grande échelle

    Outil no. 11. Guide de planification du changement organisationnel

Section I : Outils d'analyse

On se sert habituellement des outils d'analyse au début d'un changement, afin de créer une base d'informations que les leaders de l'organisation pourront utiliser pour préparer le changement. Les outils se basent sur une approche participative de la compréhension, qui suppose l'existence simultanée de points de vue très différents (C.A., cadres, personnel des programmes, personnel de soutien).

L'évaluation participative est un puissant outil de changement qui peut libérer une énergie considérable. Avant d'entreprendre cette évaluation, les leaders doivent se demander si l'organisation est prête à changer et si elle en a la capacité. Car si on soulève des attentes auxquelles on ne répondra pas, il sera très difficile par la suite de faire cette analyse.

Section II : Élaboration de la stratégie

Une stratégie ne s'élabore pas en une fin de semaine, comme on l'a vu au chapitre 4. L'élaboration de la stratégie est plutôt une préoccupation constante des leaders. Il peut toutefois s'avérer important, à intervalles réguliers, de répenser la stratégie de l'organisation et d'associer rapidement à cette tâche beaucoup d'intervenants liés à l'organisation. La conférence d'investigation est, à notre avis, l'outil le plus efficace pour élaborer la stratégie et susciter l'engagement en peu de temps.

Section III : Les gens et les relations

Pour Marvin Weisbord, le travail d'équipe c'est «la quintessence d'une société basée sur la réalisation individuelle.»[*] Si grande que soit cette réalisation, il n'en demeure pas moins que, pour les organisations contemporaines, le travail d'équipe, la collaboration et les efforts conjugués sont très importants. On doit régulièrement renforcer le travail d'équipe en s'écartant de la routine habituelle pour se concentrer sur les questions de l'équipe.

La consolidation d'équipe est une technique qui tire son origine des sessions centrées exclusivement sur les rapports interpersonnels, qui avaient généralement lieu à l'extérieur du bureau et qui pouvaient durer deux semaines. Aujourd'hui, le terme «consolidation d'équipe» décrit toute réunion ou processus visant à améliorer les relations de travail. Elle prend différentes formes : programmes de survie en forêt conçus pour susciter l'interdépendance et la confiance entre les membres d'une équipe; séances d'apprentissage en équipe pour perfectionner la capacité des membres de mener une enquête conjointe et pour instaurer des relations facilitant la coordination et l'unité;[**] séances de planification visant à faire consensus sur

[*] M. Weisbord, cité dans B. Reddy, K. Jamison, *Team Building: Blueprints for Productivity and Satisfaction*, Alexandria, Virginia, NTL Institute for Applied Behaviour Science, 1988.

[**] P. Senge, et al., *The Fifth Discipline Fieldbook*, New York, Doubleday, 1994.

l'action future; ateliers de résolution des conflits de travail qui entravent la réalisation des objectifs.[*]

Section IV : Planification du changement organisationnel sur une grande échelle

Le guide de planification présenté à la suite vise à aider les leaders du changement à réfléchir au «changement au second degré» (Voir chapitre 6). Préparé il y a quelques années par David Kelleher, il a été utilisé par des organisations très diversifiées.

Le changement au second degré aura des répercussions sur les grandes valeurs de l'organisation et sur ses méthodes de travail. En général ce changement perturbe, il exige un apprentissage de la part de chacun et chacune, il comporte parfois beaucoup de conflits. Une bonne planification n'évite pas les conflits, mais pour réussir le changement organisationnel, il importe de s'entendre sur son déroulement : comment se déroulera-t-il? qui y sera associé? quand les décisions seront-elles prises? etc.

---

[*] B. Reddy, K. Jamison, *op. cit.*

Outil no. 1 – Guide d'évaluation organisationnelle préparé par le Conseil canadien pour la coopération internationale (CCCI)

Ce guide vous aide à évaluer les principales dimensions de votre organisation, afin de vous préparer à tracer une voie de changement. À l'origine, le CCCI l'a conçu à l'intention des participants et participantes aux ateliers sur le changement organisationnel.

L'évaluation porte sur deux points :

A. La gestion stratégique

B. Les capacités et les vulnérabilités organisationnelles

L'évaluation se déroule en cinq étapes :

1. Assurez-vous que l'organisation est prête à faire une évaluation sérieuse *et* à donner suite aux résultats de l'évaluation.

2. Décidez qui doit participer à l'évaluation : le personnel, le C.A., les partenaires, le syndicat, etc. La décision est importante. Les responsables de l'évaluation doivent-ils être de bons analystes? Doivent-ils représenter divers groupes? Faut-il entendre toutes les voix? La plupart du temps, il convient de s'associer le plus de points de vue possibles et de ne pas craindre de brosser un portrait montrant des résultats contradictoires. Pour être efficace, l'évaluation sera faite par au moins deux groupes (le C.A. et le personnel, par exemple).

3. Demandez à chacune et à chacun de remplir le Guide d'analyse, pour se préparer à la rencontre avec les autres évaluateurs.

4. Réunissez les évaluateurs et reprenez chaque point du guide. Le déroulement dépend du nombre de personnes présentes, mais il ressemble généralement à ceci : chaque personne fait part de la réponse qu'elle a apportée à chaque point. Inscrivez les réponses sur de grandes feuilles. Une fois entrées toutes les réponses à une question donnée, cherchez les points d'entente. Discutez ensuite des principales différences, sans tenter toutefois de les résoudre à ce stade-ci. Acceptez-les et prenez note des divers points de vue. Cette rencontre dure en général au moins une journée.

5. Après la réunion d'évaluation, compilez les résultats, distribuez des copies aux participantes et aux participants et prévoyez du temps pour la planification.

Préparatifs

Avant de commencer l'évaluation, nous vous demandons de concentrer votre attention sur ce que vous appréciez dans cette organisation.

Qu'est-ce qui vous a d'abord attiré dans cette organisation? À votre arrivée, quelles ont été vos premières impressions? Qu'est-ce que vous trouviez stimulant?

Qu'est-ce qui vous importe vraiment dans cette organisation? Quelles réalisations vous ont apporté le plus de satisfaction récemment? Quels aspects de l'organisation vous inspirent le plus de fierté?

A. La gestion stratégique

Nous allons aborder la stratégie par un exercice de visualisation. Nous tenterons ensuite de comprendre la gestion stratégique dans votre organisation en utilisant une approche plus systématique.

Brossez un portrait positif de votre organisation dans trois ans.

Imaginez que vous la voyez dans l'avenir et que tout va très bien.

Décrivez ce qui se passe. Que fait l'organisation? Pour qui le fait-elle? Comment le fait-elle? Quelle est sa contribution spécifique? Quelles nouvelles orientations a-t-elle établies? Quels obstacles a-t-elle surmontés avant d'en arriver à cette réussite? À quelles nouvelles contraintes fait-elle face?

En quoi cette «vision» diffère-t-elle de la situation présente?

La gestion stratégique comporte quatre activités interreliées :

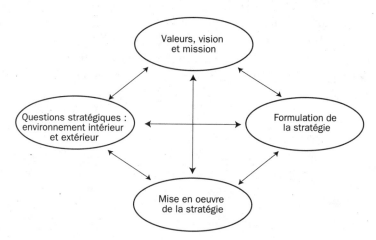

La vision, les valeurs et la mission décrivent en peu de mots ce qui est important pour l'organisation, sa raison d'être, avec qui elle travaille et comment elle compte atteindre ses buts.

Les questions stratégiques résument les orientations importantes qui se répercutent sur l'organisation et qui découlent de facteurs liés à l'environnement (au Canada, dans le Sud et ailleurs dans le monde) et à l'organisation (ses capacités, son histoire, etc.).

La formulation de la stratégie est le processus par lequel l'organisation précise comment elle accomplira sa mission, compte tenu des questions stratégiques qui la confrontent. La stratégie comprend les buts, les objectifs, les principaux facteurs et indicateurs de succès.

La mise en oeuvre de la stratégie consiste à centrer le travail quotidien sur la réalisation de la mission. Cela veut dire coordonner le travail des différentes composantes de l'organisation pour mettre en oeuvre la stratégie et en surveiller la performance.

Ces quatre activités ne se réalisent pas nécessairement les unes à la suite des autres. Dans la plupart des organisations, la mission, les valeurs et la vision demeurent les mêmes pendant plusieurs années, alors que d'autres aspects de la stratégie sont révisés parfois à chaque année pour les ajuster au milieu et aux réalités de la mise en oeuvre de la stratégie sur le terrain.

Valeurs, vision et mission

Avez-vous une mission, ou un énoncé des valeurs organisationnelles? Ce document exprime-t-il adéquatement votre identité comme organisation? Les valeurs implicites de votre mission ou de votre énoncé de valeurs rallient-elles beaucoup de monde? Comment utilise-t-on ce document pour planifier et définir des priorités?

Questions stratégiques

Quels aspects de l'environnement extérieur de votre organisation sont actuellement les plus importants pour elle? Par exemple :

1.   Les partenaires et leur contexte

2.   Les bailleurs de fonds

3. La base de soutien au Canada

4. Divers (énumérez chacun d'eux)

Quels aspects de l'environnement *interne* de votre organisation sont présentement les plus importants? (Voir l'Analyse des capacités et des vulnérabilités)

Note sur le déroulement : La discussion peut devenir très abstraite. Concentrez la discussion sur les questions qui ont un effet majeur sur votre organisation. Distinguez les questions qui auront beaucoup d'effets de celles qui auront des effets secondaires. Distinguez également les questions qui auront des effets immédiats de celles qui auront des effets à long terme.

La stratégie

Quelle stratégie utilisez-vous pour réagir aux questions importantes que vous venez de signaler?

Mise en oeuvre de la stratégie

Votre organisation possède-t-elle un plan stratégique ou un énoncé sur son orientation ou sa stratégie? Ce plan est-il bien compris et bien accepté dans l'organisation? Comment s'en sert-on pour guider les décisions et fixer les priorités? Comment l'utilisez-vous pour concentrer les ressources dans les domaines prioritaires? Comment évaluez-vous le succès?

B . Capacités et vulnérabilités organisationnelles[1]

L'analyse qui suit examine votre organisation d'après un modèle particulier d'efficacité organisationnelle. L'idée est que chaque organisation doit tenir compte de quatre champs représentés dans le diagramme qui suit. (Pour plus de renseignements sur ce cadre de travail, voir le chapitre 2.)

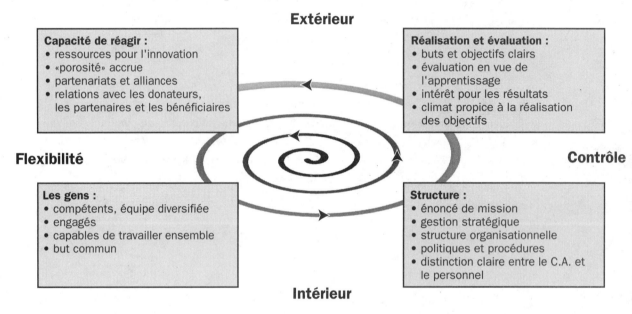

Extérieur

Capacité de réagir :
- ressources pour l'innovation
- «porosité» accrue
- partenariats et alliances
- relations avec les donateurs, les partenaires et les bénéficiaires

Réalisation et évaluation :
- buts et objectifs clairs
- évaluation en vue de l'apprentissage
- intérêt pour les résultats
- climat propice à la réalisation des objectifs

Flexibilité

Contrôle

Les gens :
- compétents, équipe diversifiée
- engagés
- capables de travailler ensemble
- but commun

Structure :
- énoncé de mission
- gestion stratégique
- structure organisationnelle
- politiques et procédures
- distinction claire entre le C.A. et le personnel

Intérieur

Examinez d'abord le champ qui se rapporte **aux gens** :

1. L'organisation a-t-elle les personnes qu'il lui faut? Au sein du personnel et du C.A. et parmi les bénévoles, y a-t-il des personnes qui prennent l'organisation à coeur, qui sont disposées à apprendre, capables de travailler ensemble et d'apprendre individuellement?

---

* M. Anderson, P. Woodrow, *Rising From the Ashes: Development Strategies in Times of Disaster,* Westview Press, 1989; R. Quinn, *Beyond Rational Management,* San Francisco, Jossey-Bass, 1988.

2. Ces personnes très différentes peuvent-elles travailler ensemble? Résisteront-elles aux pressions et aux conflits engendrés par l'apprentissage en groupe? Le climat de l'organisation permettra-t-il à ces personnes d'investir le meilleur d'elles-mêmes dans la tâche à accomplir?

3. Les points de vue des femmes et des minorités sont-ils valorisés?

4. Existe-t-il un climat d'enthousiasme susceptible de libérer l'énergie créatrice des personnes?

5. A-t-on le sentiment au sein de l'organisation de partager les mêmes croyances, d'avoir une même compréhension du but et des valeurs fondamentales de l'organisation?

En relisant vos réponses, quelles sont les capacités des gens dans l'organisation? Quelles sont leurs vulnérabilités?

Le second champ a trait à la ***capacité de réagir,*** c'est-à-dire la faculté d'adaptation de l'organisation et sa capacité d'obtenir l'appui extérieur.

1. L'organisation est-elle à l'écoute des besoins de ses partenaires et donateurs?

2. Les donateurs et les partenaires participent-ils à l'élaboration de la stratégie?

3. L'organisation a-t-elle la capacité d'analyser les tendances économiques et politiques?

4. Est-elle capable de formuler et de réaliser des changements, par exemple des projets comjoints qui tiennent compte de son analyse?

5. Consacre-t-elle de l'argent à l'innovation et à la nécessité de réagir aux circonstances qui évoluent?

Quelles sont vos capacités et vos vulnérabilités dans ce domaine?

La structure permet de créer le récipient qui contient et canalise l'énergie libérée dans le travail décrit précédemment. Y a-t-il au sein de votre organisation :

1. Un partenariat clair entre le personnel et le C.A. quant à leurs responsabilités respectives?

2. Un énoncé de mission ou un énoncé du but et des valeurs?

3. Un ensemble de politiques et de mécanismes qui facilitent l'apprentissage individuel et organisationnel, telles que : évaluation des équipes, politique de recherche, évaluation des programmes, évaluation institutionnelle, visites des projets sur le terrain?

Quelles sont vos capacités et vos vulnérabilités dans ce domaine?

Le quatrième champ concerne *la réalisation et l'évaluation*.

1. Votre organisation a-t-elle une conception claire de ce qu'elle essaie de faire et pour qui elle le fait?

2. Existe-t-il un climat propice à la réalisation des objectifs?

3. Les gens concentrent-ils leur énergie sur les résultats?

4. Est-ce qu'on évalue régulièrement les progrès en fonction de certains objectifs?

Quelles sont vos capacités et vos vulnérabilités dans ce domaine?

Résumez vos conclusions dans l'espace ci-dessous.

Outil no. 2 : Le miroir organisationnel

Cet outil aide l'organisation à comprendre comment les autres la voient. Les gens de l'extérieur remarquent des choses qu'on ne remarque pas de l'intérieur et qui apportent souvent un autre point de vue. Il s'agit de trouver un petit groupe de personnes dont vous respectez l'opinion et qui connaissent bien votre organisation. Demandez-leur de vous dire ce qu'elles pensent de votre travail.

Une organisation a réuni un petit groupe de clients, de collègues et d'anciens employés. Elle leur a demandé de réflechir à différentes questions portant sur la manière dont l'organisation répond aux clients, sur sa capacité d'innovation et son niveau de compétence, sur sa rapidité de réaction aux questions importantes. Elle leur a demandé d'appuyer leur analyse sur des exemples. L'organisation leur a ensuite demandé de répondre à ces questions dans le cadre d'une table ronde en présence du personnel. Les clients, collègues et anciens employés ont fait leurs commentaires et ils ont répondu aux questions de l'auditoire. Une animatrice veillait à ce que les employés écoutent de leur mieux. La séance a été filmée sur bande vidéo et montrée à d'autres membres du personnel.

Voici trois facteurs de succès de l'exercice du miroir :

1. Les personnes de l'extérieur doivent être crédibles, bien informées et prêtes à dire la vérité telle qu'elles la comprennent. Elles n'ont pas nécessairement à être d'accord avec les grandes orientations de l'organisation, et il ne faut pas les choisir uniquement parmi les amis des leaders.

2. Elles doivent avoir la compétence pour répondre aux questions.

3. L'auditoire doit s'attacher à comprendre ce que les membres de la table ronde ont à dire, pas à défendre l'organisation.

Outil no. 3 : L'organisation est-elle prête au changement :
un instantané par David Kelleher et Bob Wiele

Quand on planifie le changement, on commence par analyser jusqu'à quel point le C.A., l'organisation ou tout autre groupe est prêt au changement. On doit également évaluer les chances de réussite du changement que l'on tente d'instaurer.

Marche à suivre :

1. Convoquez les représentants et représentantes du C.A. et du personnel pour cette activité.

2. Répondez à chacune des questions. Soyez aussi exact et précis que possible. Donnez suffisamment de détails pour obtenir un instantané, mais évitez le long métrage!

3. Discutez des réponses avec vos collègues.

CONSEIL : Il y a au moins deux façons de procéder :

1. Chacun et chacune répond d'abord personnellement aux questions, puis les membres de l'équipe discutent ensemble des résultats.

2. On discute des questions directement en groupe.

Cet outil passe en revue six aspects qui permettent de déterminer si une organisation est disposée au changement :

1. Difficultés au sein de l'organisation

2. Vision

3. Ressources

4. Passé de l'organisation

5. Politique interne

6. Leadership

A. VOTRE ORGANISATION EST-ELLE DISPOSÉE AU CHANGE-MENT?

1. Difficultés au sein de l'organisation

a) L'organisation fait-elle face à des difficultés assez importantes pour attirer l'attention du personnel, des clients, du C.A. ou des bailleurs de fonds?

b) Des membres influents de l'organisation expriment-ils leur insatisfaction?

2. La vision

a) L'organisation a-t-elle une vision, une perspective générale ou une idée précise de la manière de faire face à la difficulté ou de la résoudre? (nouvelle structure, nouveau programme, nouvelle façon de travailler, etc.)

b) Cette vision, cette perspective, a-t-elle de puissants défenseurs? Les leaders la défendent-ils?

3. Les ressources

a) Y a-t-il des personnes compétentes qui sont prêtes à travailler pour faire aboutir le changement?

b) Les membres du C.A. et des comités sont-ils prêts à investir le temps nécessaire?

c) L'organisation a-t-elle l'argent ou l'énergie nécessaires pour effectuer le changement? (déplacements, réunions, consultantes et consultants, formation, etc.)

4. Le passé de l'organisation

a) L'organisation a-t-elle démontré dans le passé qu'elle savait s'adapter à de nouvelles situations?

b) Le passé de l'organisation influence-t-il l'opinion des gens quant aux réelles possibilités de changement? Pouvez-vous influer sur cela?

5. La politique interne

a) Le C.A. ou le comité exécutif a-t-il donné son autorisation aux activités visant à améliorer la situation actuelle et entraîner le changement?

b) La possibilité d'un changement correspond-elle à l'intérêt personnel des membres influents de l'organisation?

6. Leadership

a) Les personnes influentes au sein de l'organisation reconnaissent-elles la nécessité du changement?

b) Dans quelle mesure répondez-vous, dans votre rôle, aux critères suivants d'une personne qui est un bon agent de changement dans son organisation?

LEADERSHIP – FACTEURS	FAIBLE	MOYEN	ÉLEVÉ
1. Connaissance de l'organisation, des personnes qui y oeuvrent, de la politique interne			
2. Bonne réputation et crédibilité au sein de l'organisation			
3. Bons rapports avec les autres membres du personnel et les principaux bénévoles			
4. Prêt à apporter des changements à son propre style de travail			
5. Prend à coeur le projet de changement et l'organisation			
6. Expérience antérieure en matière de gestion du changement			
7. Aptitude à faire bouger les choses			
8. Poste occupé ou rôle joué au sein de l'organisation			
9. Dispose du temps nécessaire pour le consacrer au projet			

B. ANALYSE

1. Revoyez vos réponses. Vous réussissez mieux dans certains aspects que dans d'autres. Dressez la liste des aspects qui posent davantage un problème.

2. Quel est le principal message que laissent vos réponses au sujet de votre organisation et de sa volonté de changement?

C. STRATÉGIE

Notez toutes les bonnes idées que vous avez pour améliorer les possibilités de changement lorsque vous réfléchissez à chacun des aspects qui, selon vous, posent problème.

Outil no. 4 : Images, sentiments et histoires

Les exercices qui suivent permettent de faire appel à ses facultés plus créatives, moins linéaires afin de découvrir comment chacune et chacun se sent face à un problème, ou face à l'organisation.

1. Les collages

Un collage, c'est un ensemble de bouts de papier ou d'autre matériau montés sur une grande feuille de papier ou de carton. On fournit aux participants et participantes une pile de revues et de journaux, des marqueurs et de la colle. Chaque personne doit faire un collage sur un thème précis. Sur l'avenir de l'organisation, par exemple,sa situation actuelle, la contribution que la personne désire apporter, ou sur n'importe quel autre thème.

Chaque personne fait un collage exprimant sa compréhension du thème. Elle feuillette les revues et les journaux pour trouver les images ou les mots utiles pour son collage. Il est préférable de choisir surtout des images. Lorsqu'elle a suffisamment d'images, elle les colle à son gré sur une grande feuille de papier. Quand tout le monde a terminé, chaque personne discute de son collage et de ce qu'elle essaie d'exprimer. Les autres contribuent en décrivant ce qu'ils voient dans les autres collages.

2. Photo-histoire *

Les participants prennent ou se voient remettre des photographies d'un endroit particulier : le bureau, un quartier où l'organisation travaille, un pays où elle appuie un programme, ou n'importe quel autre endroit.

Chaque personne choisit plusieurs photographies et les agence de manière à raconter une histoire. Après avoir écouté chaque histoire, les participants réfléchissent sur les thèmes présentés dans ces histoires et sur les photos. Après avoir discuté de la signification des histoires, les participantes et les participants discutent de ce qu'ils peuvent faire concrètement.

Les commis d'une administration municipale ont participé à cette activité. Un photographe a pris des photos dans tout le bureau. Les commis se sont ensuite réunies pour créer des histoires avec les photos. Après avoir raconté leurs histoires, les commis ont constaté que certains thèmes étaient plus importants pour elles: les rapports avec le superviseur, le respect dû aux inspecteurs mâles du bureau et l'aspect chaotique de la réorganisation en cours. Un groupe plus restreint a ensuite travaillé avec la direction sur ces questions.

* D. Barnt, F., Crystal, D. Marino, *Getting There: Producing Photostories with Immigrant Women*, Toronto, Between the Lines, 1982.

Outil no. 5 : Analyse à mi-parcours

Un changement organisationnel efficace se nourrit de commentaires fiables et continus. Au beau milieu d'un changement, il peut être très difficile de faire la part des rumeurs, des faits, des opinions et des tendances. Toutes les sortes de commentaires sont importants, y compris les commérages et les rumeurs, et on les recueille soit de façon informelle ou au moyen d'activités bien planifiées.

Différentes analyses à mi-parcours sont possibles :

1. Si on s'est servi de projets pilotes, il faut évaluer le changement après un an pour déterminer s'ils ont atteint leurs buts et pour définir les mesures à prendre pour étendre le changement à plus grande échelle.

2. Puisque certains membres du personnel ou du C.A. s'exprimeront beaucoup plus que d'autres, il faut trouver moyen d'équilibrer le portrait. Dans une grande organisation, on recourt au questionnaire ou aux groupes de réflexion. Dans une organisation plus petite, des réunions du personnel et du conseil d'administration, animées par quelqu'un de l'extérieur, permettront de brosser un tableau complet de la façon dont les gens vivent le changement.

3. Certaines organisations ont organisé des ateliers à mi-parcours pour faire le point et pour fêter les réalisations.

4. Nommez des personnes-liaison pour «détecter» et recueillir l'information, officiellement et officieusement, dans des secteurs précis de l'organisation. Ces personnes doivent avoir la confiance des groupes avec lesquels elles sont en rapport.

Les évaluations à mi-parcours informent, suscitent un sentiment d'appartenance et donnent l'occasion de célébrer. Malheureusement, elles sont nécessaires au moment où les gens sont le plus occupés, mais il est important de s'engager à effectuer ces évaluations de mi-parcours dès le début, lorsqu'on s'entend sur le déroulement du processus.

Outil no. 6 : La conférence d'investigation

Bien que la conférence d'investigation soit née en Angleterre il y a plus de quarante ans, elle s'est développée dans le monde entier.* Ce type de conférence gagne en popularité depuis que les ONG se sont rendu compte qu'elles avaient besoin de mécanismes permettant à de nombreux intervenants d'apprendre, de planifier et d'imaginer l'avenir ensemble. Cette section explique brièvement ce qu'est la conférence d'investigation et décrit une conférence animée récemment par David Kelleher.

Plusieurs personnes et organismes ont contribué au développement des conférences d'investigation :

1. En Angleterre, le Tavistock Institute a cherché avec l'industrie britannique un moyen de retirer la prise de décision des mains des experts, pour la confier à une conférence ayant le pouvoir décisionnel et à laquelle seraient associées de nombreuses personnes.

2. Ron Lippit et Eva Schindler-Raiman* ont compris que les réunions de résolution des problèmes débouchaient sur une longue liste de problèmes, qu'elles déprimaient les participants et proposaient des solutions à court terme visant essentiellement à réduire l'anxiété. Ils ont alors élaboré des conférences où les participants imaginent un résultat possible et planifient à rebours à partir d'un avenir souhaité.

3. Les gens qui font de la planification foncière et qui doivent amener les parties en cause à s'entendre sur l'utilisation d'une terre communale, même si leurs projets sont parfois opposés.

Des conférences d'investigation ont maintenant lieu partout dans le monde, sous différentes formes. La conférence décrite ci-après s'appuie sur deux hypothèses fondamentales :

1. La participation est importante. Il faut non seulement rassembler toutes les personnes clefs dans une pièce, mais aussi préparer la discussion de manière à obtenir d'elles la meilleure participation possible.

2. On obtient la meilleure stratégie quand les gens sondent le passé, le présent et l'avenir et qu'ils planifient un nouveau présent à partir de l'avenir.

* Weisbord, M., *Building Common Ground,* San Francisco, Berret-Kahler, 1993.

Deux questions importantes doivent être prises en considération quand on planifie une conférence d'investigation :

1. Qui doit y participer? Généralement, on veut un large éventail de personnes : partenaires, bailleurs de fonds, alliés, membres du personnel et du C.A.: en somme assez de diversité pour faire surgir des idées nouvelles et différentes; il faut aussi que ceux et celles qui seront affectés par les nouvelles orientations contribuent à leur élaboration. Une conférence d'investigation réunit d'habitude de vingt-cinq à quatre-vingts personnes.

2. Idéalement, la conférence dure environ deux jours et demi, y compris les séances en soirée. Cela donne suffisamment de temps pour les réunions, pour la réflexion personnelle et la discussion informelle ainsi que pour créer un sentiment d'appartenance. (La conférence décrite ci-après a duré une soirée et une très longue journée. Les choses étaient terriblement précipitées mais cela a fonctionné.)

3. Où devrait-elle avoir lieu? Il vaut mieux organiser ce genre de conférence dans un endroit où les gens peuvent passer la nuit. Il faut aussi une pièce suffisamment grande pour que les participants puissent se regrouper en équipes dans une même pièce. Les fenêtres et la lumière du jour sont importantes; ces réunions sont exigeantes et l'énergie de la lumière fait une différence. Enfin, il faut beaucoup d'espace sur les murs pour accrocher les feuilles résumant le travail des groupes.

Cas type : Secours International Canada (SIC)*

Secours International Canada (SIC) est la division canadienne d'une organisation internationale qui a de nombreux bureaux dans les pays du Nord et dont le siège social est en Europe. SIC s'est lancé dans le réexamen de ses activités et cherche de nouvelles orientations. Ce réexamen, provoqué en partie par de graves problèmes financiers, a résulté aussi des nouvelles idées de programmes élaborées au siège social. De toute évidence, SIC s'est embarqué dans une refonte majeure de sa stratégie et de sa structure, mais il ne savait trop comment procéder.

---

* SIC est un pseudonyme.

Les leaders étaient conscients que, pour trouver les orientations qui assureront l'avenir de SIC et pour recueillir l'appui des membres engagés, il fallait qu'un vaste échantillon de leaders, du personnel et des membres prennent part à la discussion.

SIC a décidé d'organiser un Forum, pour permettre aux membres et au personnel de discuter ensemble de l'avenir de l'organisation.

Il a d'abord préparé un important questionnaire pour les membres, les donateurs et les autres personnes intéressées à ses activités (spécialistes du développement, journalistes, fonctionnaires des Affaires étrangères). Un groupe composé de membres du personnel et du C.A. a analysé les résultats et rédigé un rapport.

Le Forum s'est déroulé sur une soirée et une journée entière, sous la forme d'une conférence d'investigation. Cinquante personnes y ont participé, représentant le personnel, le C.A., les membres et les partenaires étrangers. Un comité de synthèse composé de participants et de participantes a travaillé durant la deuxième soirée pour rédiger l'ébauche d'un énoncé de vision. L'énoncé définissait sept valeurs à partir desquelles SIC fonctionnerait à l'avenir. Après de plus amples consultations, le C.A. a adopté cette vision.

Parce que l'énoncé avait été élaboré de façon très démocratique, il avait énormément de crédibilité, ce qui a été un facteur décisif dans le succès ultérieur du changement. Au cours des inévitables conflits associés au changement organisationnel, les leaders ont toujours pu revenir à la vision comme base d'action.

Pour bien faire comprendre comment fonctionne la conférence d'investigation, nous avons annexé trois documents de la conférence d'investigation de SIC :

1. l'ordre du jour de la conférence;

2. le schéma conçu par l'animateur;

3. les trois feuilles d'instruction pour les participants et participantes.

FORUM – SECOURS INTERNATIONAL CANADA
Ordre Du Jour

Vendredi

19 h 30   Accueil, mise en branle, présentations
Exercice de scanographie : Coup d'oeil sur les principaux événements, tendances et changements survenus dans le monde, dans le mouvement international de Secours International et au sein même de SIC.
Vin et fromage

Samedi

9 h   Analyse de l'information présenté la veille

10 h 15   Pause-santé

10 h 40   Capacités et vulnérabilités de SIC
Tendances auxquelles fait face SIC

12 h   DÎNER

13 h   Capacités, vulnérabilités et tendances : répercussions

13 h 30   Examen des données révélées par le questionnaire

14 h 30   Synthèse – Les grandes idées jusqu'à présent

15 h   Pause-santé

15 h 30   SIC et le prochain millénaire. Élaboration d'une vision de notre avenir

18 h   Choix des personnes représentant chaque groupe au comité de synthèse

18 h 15   Clôture

Conception de la conférence

Forum – Secours International Canada

Les participants arrivent à l'hôtel vendredi après-midi ou tôt en soirée. À la réception, chacun et chacune reçoit une trousse comprenant une lettre de bienvenue du comité directeur, l'ordre du jour, une copie de la lettre de la présidente et de la direction décrivant la situation financère, les résultats du questionnaire, deux pages sur la situation financière (objectifs de collecte de fonds; revenu réel des trois dernières années; deux paragraphes du rapport annuel décrivant le manque à gagner et l'action entreprise) et un résumé d'une page (tableau?) sur la baisse des adhésions locales au cours des trois dernières années.

À la table d'inscription située à l'extérieur de la salle de réunion qui ouvrira ses portes à 19 h (rafraîchissements?), on accueille les gens, on remet une trousse à ceux et celles qui ne logent pas à l'hôtel et on distribue les insignes (code-couleur pour le travail en petit groupe).

Dans la salle de réunion, on dispose neuf groupes de cinq chaises placées en cercle. Chaque groupe a un chevalet, un tableau de feuilles volantes et un crayon-feutre pour chaque personne.

19 h 30   Mot de bienvenue du comité directeur, présentation de l'animateur. Remarques préliminaires sur le but et le déroulement du Forum, sur sa place dans l'élaboration de la stratégie. Lecture de l'ordre du jour. Rappel de l'importance de trouver un terrain d'entente, du caractère égalitaire de la conférence, de l'importance de respecter l'horaire et la nature de la tâche qui nous attend. Un mot également sur l'importance de dire ce qu'on pense; nous voulons que tous les points de vue s'expriment. Présentations à la table – d'où venez-vous, qu'attendez-vous du Forum.

20 h   Exercice de scanographie – Expliquer le but pour poser le fondement d'une vision en portant notre attention à *l'extérieur*, sur le contexte plus large. Chacun et chacune pour soi, les participants dressent la liste des principaux événements, tendances, changements importants survenus : dans le monde, dans le mouvement Secours International, dans l'organisation SIC et, ce, pour trois décennies, les années 70, les années 80 et les années 90. (Voir Feuille # 1). Lorsque vous avez terminé, transcrivez ces événements sur les feuilles de papier accrochées au mur. Nous analyserons les données demain, mais chacun peut en prendre connaissance dès maintenant.

20 h 45   Un mot sur l'ordre du jour de demain : rappelez aux gens qu'on commence à 9 h et invitez-les au vin et fromage. La salle de réunion ouvre ses portes à 8 h 30 pour la lecture individuelle et le café.

Samedi

9 h   Bienvenue. Les petits groupes ont pour tâche d'analyser les données sur les murs. Différents groupes seront responsables de différents aspects : les événements, les tendances, etc. Trois groupes traitent du MONDE, discutent ce qu'ils y voient, de ce qui se dégage, etc. et dressent la liste des grandes tendances et orientations en rapport avec les secours humanitaires. Trois autres groupes se penchent sur SECOURS INTERNATIONAL, discutent des schémas qu'ils décèlent, puis des principales répercussions des événements, des tendances dans le mouvement pour SIC. Trois groupes étudient SIC, discutent des tendances, des schémas et dressent deux listes – AVENIR PROBABLE si SIC continue comme à présent, et AVENIR IDÉAL QU'ON SOUHAITERAIT VOIR. Chaque groupe permet à ses membres de lire rapidement les listes sur les murs, de faire un remue-méninges, d'écouter ce que chacun et chacune a à dire; il détermine ensuite les sept points les plus importants, les écrit sur des feuilles volantes qu'il affiche sur le mur (Voir Feuille # 2).

Les participants et participantes lisent les analyses des autres groupes.

Brève discussion en plénière.

10 h 15   Pause-santé

10 h 40   Analyse des capacités et des vulnérabilités de SIC. Quatre petits groupes se servent de la matrice qui suit pour faire l'analyse de SIC. (Voir Feuille # 3)

Cohérence de l'action	Suscite l'appui du public
Qualité de l'organisation	Atteinte des buts

Chaque groupe divise une grande feuille en 4 parties et inscrit dans chacune les forces et les faiblesses de SIC. Chaque groupe «vote» ensuite sur l'aspect le plus déterminant de chaque partie et affiche sa feuille.

Les quatre autres groupes travaillent en sous-plénière pour préparer un «arbre conceptuel des tendances»[5]. (L'arbre conceptuel est un grand tableau regroupant les idées de tous les participants. Dans ce cas-ci, il indique les grandes tendances.)

11 h 30   Les participants examinent la carte des tendances et les feuilles qui présentent les capacités-vulnérabilités et indiquent les points les plus importants.

---

* T. Buzan, *The Mind Map Book*, Londres, BBC Books, 1993.

12 h   DÎNER

13 h   Table ronde : Comment SIC est-il perçu à l'extérieur, quelle orientation pourrait-il prendre? (Invités possibles : spécialiste des Affaires étrangères, leader d'ONG, représentant des médias.)

13 h 30 Examen des résultats du questionnaire : discussion en petits groupes sans nécessité de conclure à ce stade-ci. Les petits groupes fixent leur attention sur les questions de base ou sur celles qui font réfléchir ou qui sont stimulantes. Afficher au mur.

14 h 30 Les grandes idées jusqu'à présent – plénière. Brève synthèse de la personne qui anime, commentaires des participants.

15 h   Pause

15 h 20 Séance sur la vision – SIC à l'approche du 21e siècle. Une tâche de créativité – on aborde le sujet d'un autre angle, en petits groupes. Il s'agit de décrire le SIC que nous voulons en l'an 2000 et après. La vision doit tenir compte des capacités de l'organisation, de son histoire, de ses vulnérabilités, etc. qui ont été détaillées durant la journée. La vision décrira, par exemple, ce qu'est le SIC, sa taille, sa façon de travailler et au service de qui, qui y est associé. On pourrait également poser la question stratégique : quel est l'apport unique de SIC aux secours humanitaires? Quelles sont les possibilités qui tirent parti de nos forces et de notre position en tant que membres au Canada?

La méthode privilégiée cette fois-ci a été de demander aux membres des petits groupes d'écrire sur des fiches ce que chacune et chacun voudrait voir en l'an 2000. Ces fiches sont regroupées par thème et les petits groupes construisent une vision cohérente à partir de ces thèmes. Le groupe prépare ensuite la vision qu'il présentera en plénière.

16 h 30 Présentations des groupes – Chaque groupe résume sa vision sur sa feuille volante et la présente, en dix minutes au maximum, de la manière qu'il préfère – sous forme de dramatique, de chanson, de sculpture corporelle.

18 h   Discussion des thèmes communs, vote à main levée sur les grandes idées, choix des personnes (une par groupe) qui feront partie du comité de synthèse qui, rappelons-le, n'est pas décisionnel.

18 h 30 Dernières remarques, prochaines étapes du processus, merci à tous et à toutes. Clôture.

19 h 30 Réunion du groupe de synthèse qui tire 2 ou 3 visions possibles à partir des neuf exposés. À ce groupe de neuf personnes se joint l'animateur ou l'animatrice.

Feuille # 1 – Un retour en arrière*

But : Reconnaître les changements que nous avons vécus et ce que signifie notre passé, afin de brosser un tableau de notre milieu.

1. Individuellement, énumérez les faits mémorables, les tendances et les faits marquants dans chaque domaine.

les années 70   LE MONDE   SECOURS INTERNATIONAL   SIC

---

les années 80

---

les années 90

---

2. A l'aide d'un crayon feutre, reportez vos réponses sur les feuilles accrochées au mur.

---

* Cette documentation s'inspire des travaux de M. Weisbord avec le Cape Cod Institute, août 1992.

Feuille # 2
Ce que nous voyons, ce que cela signifie

(40 minutes)

Les groupes choisissent un secrétaire et une animatrice qui assurera aussi les respect de l'horaire (assumer ces tâches à tour de rôle).

Secrétaire : Écrit sur les feuilles volantes en reprenant les mots de la personne qui a parlé. Demande aux gens de reformuler brièvement leurs idées.

Animateur ou animatrice : Veille à ce que chacun ait la chance de parler, garde la discussion sur le sujet et veille à ce que le groupe termine à temps.

Les groupes portant le noir, le brun et l'orange travaillent sur LE MONDE.

1. Quelles tendances ou schémas se dessinent sur les feuilles? Discussion.

2. Énumérez les principales répercussions qu'auront ces tendances sur les secours internationaux au 21e siècle. Inscrivez-les sur les feuilles. Limitez votre liste à sept points et affichez la feuille.

Les groupes portant le jaune, le violet et le bleu travaillent sur SECOURS INTERNATIONAL CANADA.

1. Quelles sont les grandes tendances ou orientations qui se dessinent sur les feuilles?

2. Énumérez les principales répercussions qu'auront ces tendances sur le travail de SIC au 21e siècle. Inscrivez-les sur les feuilles. Limitez votre liste à sept points et affichez la feuille.

Les groupes portant le rouge, le vert et le double bleu travaillent sur SIC.

1. Examinez les listes. Discutez des grandes tendances et des schémas qui se dessinent.

2. Tracez une ligne au milieu de la feuille. D'un côté, décrivez l'AVENIR PROBABLE (ce qui arrivera si la tendance actuelle se maintient). De l'autre côté, décrivez l'AVENIR IDÉAL souhaité. Affichez votre feuille.

Feuille # 3
Analyse des capacités et des vulnérabilités

Choisissez deux personnes, pour l'animation et le secrétariat.

Utilisez le tableau ci-dessous pour analyser les capacités et les vulnérabilités actuelles de SIC. Divisez la feuille en 4 parties; indiquez les capacités par un +, et les vulnérabilités un -. À la fin de la discussion, chaque personne marque d'un signe quelconque les cinq points qu'elle juge les plus importants pour SIC à l'aube du 21e siècle. (Le tableau est une variante du cadre d'analyse des quatre champs, proposé au chapitre 2.)

Cohérence de l'action	**Qualité de l'organisation**
• Compréhension commune des valeurs, du mandat et de la stratégie • Leadership fort et membres engagés, professionnalisme du personnel • Sentiment d'appartenance • Capacité de susciter un consensus organisationnel • Capacité de recruter des membres et d'offrir des possibilités d'apprentissage • Sentiment que les membres et le personnel exercent un certain pouvoir	• Organisation stable • Orientation claire sur papier • Mesure des résultats • Bons systèmes financiers, et autres systèmes d'information interne • Rôles du C.A. et du personnel énoncés avec précision • Utilisation efficace des ressources
Suscite l'appui du public	**Atteinte des buts**
• Etre très connu dans le public • Gagner le respect des gouvernements et d'autres organisations de secours d'urgence • Capable de recueillir des fonds, travaille bien avec les donateurs • Capable d'évaluer les tendances actuelles et d'élaborer des programmes innovateurs	• Comprend bien l'orientation et l'intention du programme • Capable d'évaluer les résultats et de prendre les mesures pour assurer l'atteinte des buts • Climat de réalisation centré sur le but

Outil no. 7 : Consolidation d'équipe

Les séances de consolidation d'équipe combinent souvent plusieurs éléments mais elles doivent toutes viser quatre objectifs :

1. Aider les participants et les participantes à se connaître : qui sont ces personnes? qu'ont-elles fait de leur vie avant de venir ici? qu'est-ce qui les intéresse? que veulent-elles réaliser? etc.

2. Aider les participants et les participantes à comprendre les croyances et les schèmes mentaux de chaque membre quant aux aspects importants du travail et de la façon de le réaliser;

3. Discuter des conflits qui entravent la réalisation des objectifs ou qui épuisent l'énergie des membres du groupe;

4. Déterminer, avec la participation de tous, une orientation précise pour l'équipe.

Travailler en équipe, c'est difficile, surtout pour les Nord-Américains dont l'éducation valorise la réussite individuelle. La soif de pouvoir dépasse souvent notre désir de collaborer; et notre capacité de travailler sur un pied d'égalité est sous-développée.

Voici quelques activités de consolidation d'équipe qui permettent d'atténuer ces tendances.

1. Tour de table

Au début d'une réunion, on accorde à chaque personne quelques minutes pour parler de ce qu'elle pense ou ressent. C'est l'occasion pour chacune d'informer le groupe des choses importantes survenues dans sa vie, de ses sentiments vis-à-vis d'un point particulier dans l'organisation, de ses attentes face à la réunion, etc. Le groupe écoute simplement; les gens peuvent commenter mais non pas remettre en question.

2. Analyse de l'équipe

Cette activité peut constituer une session en soi (de trois heures à trois jours, suivant le besoin) ou venir à la suite d'une autre tâche, telle que l'élaboration d'un plan organisationnel. A l'aide d'un cadre d'analyse portant sur le travail d'équipe, chaque membre évalue la performance de l'équipe. Ensuite, les gens discutent ensemble des résultats. L'équipe peut utiliser un cadre très simple, tel celui-ci :

1. Ai-je le sentiment d'apporter une contribution à cette équipe?

2. Suis-je satisfait de notre rendement?

Si l'équipe veut plus de détails, elle peut répondre aux sept questions suivantes :

1. Quel degré de confiance règne dans le groupe (faible, moyen ou élevé)?

2. Clarté des buts; sentiment que chaque personne a un mot à dire sur le choix de ces buts (faible, moyen ou élevé)?

3. Comment le pouvoir et l'influence sont-ils répartis dans le groupe?

4. Quelle est la qualité de nos rapports avec les autres équipes (faible, moyenne ou élevée)?

5. Quelle capacité avons-nous de prendre des décisions (faible, moyenne, élevée)?

6. Quelle capacité avons-nous d'apprendre les uns des autres?

7. Quelle capacité avons-nous de réagir de manière innovatrice aux situations qui se présentent à l'équipe?

Outil no. 8 : Analyse des points de vue

Cet outil permet de tirer des leçons d'un programme qui a connu des difficultés. La clef consiste à dépasser le blâme, à se rendre compte que chacun et chacune a agi de manière sensée à l'époque et qu'il existe de nombreux points de vue et réalités.

On fait cet exercice lors d'une réunion à laquelle participent les personnes qui ont été associées à la gestion du programme, de même que d'autres personnes bien informées. D'abord, on retrace l'expérience. Sur des feuilles de papier collées au mur, on indique les dates importantes afin de préciser la période dont il est question. On y inscrit chronologiquement les événements et comment les gens se sont sentis face à ces événements. Il est important que l'expérience de chaque personne y apparaisse. Si par exemple, deux personnes comprennent différemment un événement précis, on inscrit les deux points de vue sur la feuille, sans chercher à décider qui a raison. Une fois terminé, ce calendrier doit rapporter les événements et les sentiments des personnes présentes.

Faites ensuite une pause pour permettre à chacun et chacune de lire les différentes feuilles. Puis revenez, en petits groupes ou en plénière, pour discuter de cette carte chronologique de manière à aider le groupe à tirer des leçons de l'expérience. Il ne s'agit pas de s'arrêter sur le passé et encore moins de blâmer l'une ou l'autre personne ou de décider qui avait raison et qui avait tort. Le but, c'est que l'équipe apprenne de l'expérience. Voici trois questions pour aider à centrer la discussion :

• Que révèle cette expérience sur notre travail d'équipe?

• Que révèle cette expérience sur nos relations avec d'autres groupes?

• Quels apprentissages en tirons-nous pour les autres programmes auxquels nous sommes associés?

L'exercice débouche en général sur l'adoption de nouvelles méthodes de travail, il diffuse les conflits existants et fait sortir au grand jour les différentes façons de comprendre le programme ainsi que les sentiments éprouvés face à ce programme.

Outil no. 9 : L'arbre des causes

Ceci est un excellent outil de planification. Il aide l'équipe à comprendre les hypothèses des gens à propos du travail ainsi qu'à signaler et à éviter les embûches possibles.

On choisit d'abord un objectif de travail, puis on demande ce qu'il faut faire pour atteindre cet objectif. Quand les participants répondent: «On doit...», l'animatrice écrit la réponse au tableau et trace une flèche pointée vers l'objectif. Elle demande ensuite ce qu'il faut faire pour mettre en oeuvre la réponse qui a été donnée. Éventuellement, on se retrouve devant un «arbre» où est indiqué tout ce qui doit être réalisé ainsi que le lien entre les différentes actions.

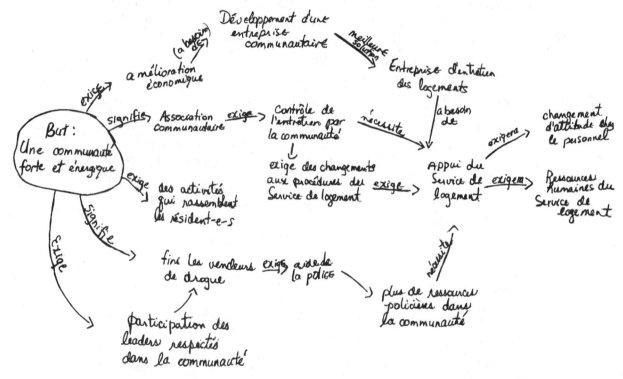

L'arbre ci-dessus a été créé par une équipe qui planifiait un projet de développement dans une communauté de logements sociaux. En une heure l'arbre était fait et avait donné deux résultats remarquables. D'abord, la nouvelle équipe du projet a compris ce que chaque membre croyait comprendre au sujet du projet de développement communautaire et, ensuite, d'importantes questions sont ressorties, qui n'avaient pas été prises en considération dans la planification antérieure.

Par exemple, il est devenu évident que le développement économique faisait partie intégrante de ce projet et que la solution proposée (création d'une entreprise d'entretien des logements qui formerait les résidents à l'entretien dans la communauté) allait exiger beaucoup plus de négociations que prévu avec le Service de logement. Le groupe a aussi constaté que plusieurs flèches aboutissaient à la case «appui du Service de logement». Cela a soulevé la question : de quoi a-t-on besoin pour obtenir cet appui et dans quelle mesure est-ce réalisable? L'équipe a finalement modifié son emploi du temps après s'être rendu compte qu'elle allait devoir consacrer davantage de temps que prévu au Service de logement.

Outil no. 10 : Le bocal à poissons

Cet exercice s'avère utile lorsque la discussion est polarisée et que le groupe ne semble pas trouver de solution. L'outil crée un espace où les gens peuvent écouter les différents points de vue dans un contexte moins personnel et travailler ensuite avec les solutions qui apparaissent. Il permet aussi de faire une pause au milieu de l'action.

Marche à suivre

Il s'agit de reprendre la discussion, en demandant à quelques participants d'en répéter les principaux points comme s'ils étaient dans un bocal à poissons placé au centre de la pièce. Chaque personne dans le bocal doit présenter les positions auxquelles elle s'opposait auparavant pendant que les autres observent. Il faut une animatrice pour mesurer le temps et pour aider le groupe à découvrir ce qu'il a appris.

Les volontaires pour le bocal à poissons disposent leurs chaises en demi-cercle et le reste du groupe s'assoit autour, comme auditoire. Ce dernier n'intervient pas tant que la discussion n'a pas pris fin. Le groupe décide de la période de temps à allouer pour la première partie. Pour commencer, chaque personne résume «sa» position. Puis les volontaires du bocal à poissons discutent entre eux et elles, en s'efforçant d'aborder les questions litigieuses.

Quand la discussion est terminée, l'animatrice demande aux poissons volontaires les points sur lesquels ils peuvent maintenant se mettre d'accord. La liste de ces points devient la nouvelle base de discussion avec le groupe au complet. Souvent les terrains d'entente sont beaucoup plus nombreux qu'avant l'exercice du bocal et les désaccords, moins importants. Si des désaccords sérieux persistent, il faut les reconnaître et les intégrer au processus plus vaste de changement.

Outil no. 11 : Guide de planification du changement organisationnel

Ce guide développe la matière présentée au chapitre 6. Il vise à aider les leaders des ONG à bien comprendre comment ils peuvent gérer des projets de changement d'envergure moyenne ou grande. Il présente un modèle de changement organisationnel et propose des questions s'y rapportant.

Le processus de changement organisationnel

Le changement organisationnel comporte trois étapes :

1. Le démarrage :

Cette étape permet de passer de l'inquiétude et de la perception des difficultés organisationnelles à un ensemble d'activités intéressantes qui engagent les personnes.

2. La transition :

Quand l'organisation commence à «vivre» et à penser sa nouvelle approche mais qu'elle est encore coincée dans ses anciennes manières de faire, elle entre dans la transition. C'est souvent un temps de conflits et de découragement, mais aussi d'enthousiasme causé par la naissance qui approche.

3. La résolution :

C'est la mise en oeuvre et la gestion de la stratégie, qui visent à ce que la nouvelle façon d'être devienne éventuellement la norme pour l'organisation.

Chacune de ces étapes comporte trois tâches : susciter **l'appui**, encourager **la clarté**, et passer à **l'action.**

En combinant les trois étapes et les trois tâches, on obtient le tableau suivant :

Comme nous l'avons dit, ce tableau illustre les diverses tâches requises à chaque étape. Il nous rappelle qu'il faut sans cesse penser à plusieurs choses à la fois. Par exemple, à l'étape du démarrage, les leaders doivent penser à mettre sur pied une équipe du changement, à recueillir de l'information, à cerner les enjeux et ainsi de suite.

Examinons le tableau de plus près. On voit que le démarrage est en fait consacré à l'analyse; c'est le moment où l'on détermine si l'organisation est prête à changer et, si c'est le cas, s'il y aura ou non des

	DÉMARRAGE	TRANSITION	RÉSOLUTION
APPUI	• Évaluer – susciter la bonne volonté • S'entendre sur le processus • Mettre sur pied une équipe du changement • Analyser l'organisation et son milieu • Communiquer • Sensibiliser	• Mettre sur pied une équipe mixte de planification • Formation • Faire face aux conflits et au deuil • Approbation du C.A. • Dédommager les gens pour leurs pertes • Communiquer • Sensibiliser	• Maintenir l'élan • Obtenir un feedback • Lancer de nouvelles initiatives en vue du changement • Communiquer • Sensibiliser
CLARTÉ	• Comprendre les problèmes et le «pourquoi» du changement • Élaborer une vision et une stratégie collectives	• Préciser les détails de la stratégie et des choix organisationnels	• Aplanir les difficultés • Établir de nouveaux objectifs de changement
ACTION	• Agir autrement	• Essayer les idées clefs	• Mise en oeuvre intégrale

gens pour travailler au changement et pour l'appuyer. C'est aussi le moment où l'on commence à recueillir l'information et les idées, pour que les enjeux soient clairs et pour que la nouvelle vision soit ancrée dans les besoins de la majorité.

Il est en outre important que les leaders commencent à refléter, par leur comportement, le changement qu'ils s'efforcent de promouvoir. Si, par exemple, le changement vise l'amélioration du fonctionnement démocratique, alors il faut refléter cette valeur.

A l'étape de transition, une équipe largement représentative élabore le plan en détail. La principale tâche consiste à passer de la vision générale à un programme détaillé qui fonctionne *dans une situation donnée*. C'est souvent une période de grande confusion et de conflit. Il importe, de plus, de commencer à faire des essais à ce stade-ci afin d'apprendre de ces expériences.

Il est illusoire d'espérer que les choses iront bien pendant la transition. L'important c'est d'apprendre de l'expérience .*

---

* W. Bridges, *Managing Organizational Transitions: Making the Most of Change*, Reading, Mass., Addison-Wesley, 1991; et R.M. Kanter, *The Change Masters, Innovation for Productivity in the American Corporation*, New York, Simon and Schuster, 1984.

La résolution, c'est l'étape de la mise en oeuvre de la stratégie, c'est l'élan qu'on maintient et c'est la définition des nouveaux changements à viser. Les leaders doivent continuer à solliciter le feedback et à réagir à la situation qui évolue. L'étape est délicate parce que l'organisation a tendance à se retrancher derrière les vieux comportements.

Guide de planification

1. De quelle nature est le changement que vous désirez mettre en oeuvre?

2. Qu'est-ce qui vous pousse à envisager ce changement?

3. À votre avis, quelle sera la portée de ce changement? Qui touchera-t-il? Dans quelle mesure la vie des personnes touchées changera-t-elle à cause de ce changement? Qui y gagnera? Qui y perdra?

4. Après avoir lu les documents sur le changement oganisationnel, où vous situez- vous? Quels aspects de ce processus avez-vous mis en oeuvre? Qu'est-ce qui reste à faire?

Le guide de planification est conçu de manière à vous informer et à poser des questions pertinentes sur l'étape où vous êtes rendu. Par exemple, si vous êtes à l'étape de transition, consultez la section «Transition» où vous trouverez des questions sur la participation, sur les conflits et la préparation détaillée d'un plan.

Démarrage

1. Vous êtes-vous interrogé sur la disposition d'esprit dans les diverses composantes de votre organisation, c'est-à-dire dans quelle

mesure les gens sont prêts à accepter le changement que vous envisagez et à y participer? Pour étudier cette question, consulter l'outil no. 3 «L'organisation est-elle prête au changement?»

2. Jusqu'à quel point êtes-vous personnellement prêt, vous-même, à accepter ce changement? Comment peut-il vous toucher?

3. Avez-vous préparé une approche qui précise les buts du changement, comment l'information sera recueillie, qui mènera le processus, comment les gens y participeront et comment les décisions seront prises?

4. Avez-vous préparé cette approche unilatéralement ou avec la participation des parties en cause?

5. Avez-vous mis sur pied une équipe susceptible de piloter le changement? Cette équipe doit : être suffisamment petite pour pouvoir se réunir souvent, avoir l'appui des grandes composantes de l'organisation (syndicat, direction, C.A.), posséder d'excellentes capacités en ce qui a trait au processus (analyse organisationnelle, réunions, rédaction, etc.) et être composée d'au moins une personne de la haute direction. De plus, les membres de l'équipe doivent aussi être capables de travailler ensemble.

6. Avez-vous mené une analyse organisationnelle? Celle-ci se concentrera sur la mission, le programme et la stratégie ou sur les capacités et vulnérabilités de l'organisation. Pour vous faciliter la tâche, relisez les questions du guide d'évaluation (outil # 1).

Avez-vous analysé le milieu extérieur qui influe sur votre organisation? Cette analyse tiendra compte de considérations macro-politiques ou macro-économiques, des attentes des partenaires et des donateurs ainsi que de leurs situations respectives, etc. Pensez à la fois à l'environnement immédiat de vos «tâches» et au milieu plus global.

7. Avez-vous élaboré une vision ou une stratégie de changement? Celle-ci peut se situer à un niveau général du genre : «intégrer le programme au Canada et le programme outre-mer», «élaborer et mettre en oeuvre un plan stratégique», «fusionner avec une autre ONG semblable», «concentrer notre programmation et fonctionner avec 75 % du budget actuel», etc.

8. Avez-vous conçu cette vision unilatéralement ou avec la participation de toutes les parties en cause?

9. Avez-vous identifié les obstacles de même que les points d'appui possibles qui influeront sur la concrétisation de la vision?

10. Votre propre comportement comme leader du changement est-il conforme à la nouvelle réalité que vous tentez de mettre en oeuvre? Par exemple, si vous voulez que l'organisation soit davantage stratégique, le changement lui-même doit alors en donner l'exemple; vous voulez une organisation plus démocratique, le changement lui-même doit servir de modèle.

11. Quel plan avez-vous pour faire participer le C.A. et pour obtenir son aval?

Transition

À cette étape-ci, l'organisation prépare les détails du changement et commence à fonctionner autrement. Les émotions sont intenses : ambivalence, colère, enthousiasme. Les leaders du changement doivent assurer l'organisation que l'élaboration des détails est participative, que le personnel et les membres ont la latitude voulue pour débattre à fond des questions et exprimer les conflits au besoin. Reconnaissez que ce sera une période difficile et trouvez-vous des appuis. Attendez-vous à ce que les leaders et le personnel vivent beaucoup de stress.

1. Existe-t-il une équipe chargée de préparer les détails du changement, parmi lesquels figurent une compréhension claire, précise et concrète du changement apporté, les conséquences qu'il aura pour le personnel, pour la structure et pour le budget?

2. Qu'a-t-on prévu pour que le personnel soit associé à la nouvelle conception et pour que les conflits soient canalisés et utilisés en vue d'améliorer le changement apporté?

3. Avez-vous préparé des séances de formation afin que le personnel s'associe à la nouvelle réalité et y fasse face?

4. Un plan de communication permet-il à tous les membres de l'organisation de se tenir constamment informés?

5. Avez-vous prévu des mécanismes de compensation pour ceux et celles qui sortiront perdants du changement?

6. Quels aspects du changement pourraient servir de projet-pilote? Pouvez-vous définir un ensemble de circonstances particulièrement utiles au projet-pilote, mais qui seraient tout de même réalistes?

Résolution

Cette étape vise surtout sur la mise en oeuvre, le maintien de l'élan initial, le contrôle du changement en cours et le réalignement en fonction du feedback. C'est également l'étape où l'on esquisse à grands traits le prochain changement requis par l'organisation.

1. Existe-t-il un plan de mise en oeuvre clair, répondant aux questions des «qui, quoi, quand, comment, etc.»? Une stratégie de communication a-t-elle été prévue pour la mise en oeuvre du plan?

2. Existe-t-il un plan de formation facilitant l'apprentissage continu et l'acquisition de compétences, en vue de se préparer à la nouvelle réalité?

3. Êtes-vous prêt à voir d'autres personnes de l'organisation qui ont de la difficulté à comprendre le changement, être ambivalentes ou moins enthousiastes que les leaders?

4. Quel mécanisme de contrôle a-t-on prévu pour faire savoir aux leaders du changement ce qui fonctionne et ce qui doit être repensé?

5. Les gens comprennent-ils bien que le changement n'est pas terminé?

6. Y a-t-il des moyens de célébrer les succès remportés et de récompenser les efforts?

Résumé du plan

Là où nous sommes rendus dans le changement :

Ce qu'il faut faire à moyen terme (dans les prochains 9 à 12 mois) :

Ce qu'il faut faire immédiatement (d'ici deux semaines) :

Du point de vue de l'organisation, le succès c'est....

Personnellement, le succès c'est...

Face
à l'avenir

8

C<small>E LIVRE A FAIT FAIRE AUX AUTEURS UN VOYAGE D'EXPLORATION AU</small> cours duquel ils ont rencontré des gens très réfléchis et très engagés. Nous avons organisé des groupes de réflexion, travaillé avec des pairs qui nous ont conseillés, écouté les lecteurs et lectrices des premières ébauches, discuté des idées avec les clients et avec les gens qui ont commencé en atelier à «Prendre le taureau par les cornes» et, enfin, nous avons débattu entre nous. Où cette exploration nous mène-t-elle? Quelles idées appliquerons-nous à notre propre pratique?

En entamant ce projet, nous savions pertinemment que les ONG faisaient face à des changements. Mais dans l'année qui s'est écoulée, les changements se sont accélérés et ils s'avèrent à la fois plus profonds et plus étendus. Les organisations volontaires et celles du secteur public, au Canada et ailleurs dans le monde, sont aux prises avec des changements si profonds qu'il est impossible d'en prédire tous les effets.

Pour certains collègues, le problème principal est celui du financement. Le gouvernement, pensent-ils, va cesser de financer une grande partie de l'aide au dévelopement et du développement social au pays. Si les organisations non gouvernementales et volontaires restent avec seulement une fraction de leurs ressources de naguère, leur existence sera sérieusement remise en question. Que faire? Quelle légitimité ont-elles? Quel rôle jouer comme donateurs, dans un monde «post-donateur»?

D'autres se sont demandé comment les ONG pouvaient aider à relever les défis sociaux et politiques de l'an 2000. Les ONG du Nord pourraient-elles mettre à profit les connaissances acquises au Nord et au Sud, pour se mobiliser en faveur du changement social dans le Nord? Un tel choix demanderait une modification des rapports avec les organisations du Sud et une nouvelle manière de travailler avec leurs bases de soutien dans le Nord. Présentement, la plupart de nos organisations ne savent pas faire ces choses.

De nombreux collègues s'inquiètent devant la vigueur de la droite en Occident et du fait que les relations sociales et internationales dépendent de plus en plus des conditions économiques mondiales. Cela remet en question la croyance, jusque-là très solide, selon laquelle le gouvernement est responsable du bien-être de ses citoyennes et citoyens plus démunis, sans compter les populations pauvres des autres pays.

Ces faits et d'autres encore indiquent que nous sommes en période de transition. Beaucoup d'ONG et organisations volontaires vont fermer leurs portes. Certaines redéfiniront leur rôle ou elles trouveront d'autres sources pour financer leurs activités. Des façons différentes de s'organiser vont naître là où les anciennes ont échoué. Ces nouvelles organisations seront viables, pour des raisons très différentes.

A quoi ressembleront ces nouvelles organisations?

Dans le nouveau monde, les stratégies de collaboration à l'intérieur de l'organisation, comme à l'extérieur, auront préséance. La simple extension des réseaux de communication électronique et d'échanges d'information ne suffira pas. Il faudra créer un espace à la fois physique et psychologique où les gens pourront réfléchir et apprendre ensemble, ce que David Schrage appelle «la créativité partagée».[1] C'est un domaine dans lequel les ONG n'ont pas eu beaucoup de succès par le passé. Au contraire, le chauvinisme ou le protectionnisme organisationnel ont fait échouer de nombreuses tentatives d'une collaboration stratégique plus grande entre les organisations.

Le conflit organisationnel accompagne le changement. Le risque de conflit est moins élevé quand le milieu externe et interne est stable. Dans une organisation, la façon de réagir au conflit en dit

«La question n'est pas de savoir si telle ou telle organisation survivra. La question est de savoir ce qui va naître pour les remplacer.»
– Un observateur d'une ONG

long sur la manière dont elle réagira à une turbulence continue. L'organisation qui ne tolère pas le conflit sera mal préparée pour faire face aux aspects plus désagréables du changement. Celle pour qui l'unité et la paix sont de première importance risque, sans le vouloir, de supprimer les opinions différentes et des idées qu'elles auraient avantage à écouter. Il ne faut ni écarter ni étouffer les conflits, ni les laisser s'infiltrer en douce dans l'organisation, car ils risquent de miner la légitimité des processus. On doit plutôt les utiliser en vue de créer. Les nouvelles visions contestent souvent les anciennes. L'organisation qui est capable de survivre a besoin des rebelles et des esprits critiques. Parfois une idée impopulaire vient directement de la base – des partenaires, des travailleurs et des coopérantes sur le terrain qui vivent le programme. Pour apprendre, il faut être à l'écoute de toutes ces voix.

Les idées traditionnelles sur la structure organisationnelle doivent changer et elles sont en train de changer. L'environnement actuel demande des structures plus fluides et moins hiérarchisées que celles du passé. Par quoi remplacer ces dernières? En matière de ressources humaines et de processus décisionnel, le temps est venu de concevoir et d'expérimenter des structures qui répondent mieux et plus vite aux besoins de programmation. Comme le découvrent de nombreuses organisations, cela signifie garder un petit nombre de permanents pour mener à bien certaines fonctions déterminées, et lui greffer un réseau «amibien» de spécialistes ou d'employés engagés pour une période précise. L'organisation est alors définie par une série de contrats de travail négociés, liés entre eux par la poursuite des objectifs de programmation ainsi que par des moyens d'information sophistiqués.

Cette approche offre des avantages nombreux et évidents, mais elle comporte des désavantages tout aussi évidents. Ce genre d'entente de travail ne profite pas à tous les travailleurs et travailleuses de façon égale. Elles convient mieux à ceux et celles dont l'éducation, l'expérience et la compétence sont exportables ou qui, par tempérament ou parce qu'ils peuvent se le permettre sur le plan financier, sont prêts à accepter passablement de risques et d'instabilité. Elle est souvent plus aménageable pour la personne qui a des obligations familiales moins contraignantes. En même temps que les organisations se départissent en partie de leur main-d'oeuvre, plus de personnes décident, de gré ou de force, de travailler par contrat. Cette main-d'oeuvre parallèle augmente au fil des ans.

Le financement gouvernemental des ONG nationales et internationales étant réduit, les ONG se font concurrence pour les fonds privés. Pour un grand nombre, la mobilisation traditionnelle des fonds par les publipostages et les activités spéciales ne suffit plus. Les approches entrepreneuriales gagnent du terrain à mesure que les ONG cherchent des revenus dans le secteur privé. Certaines ONG créent des centres de profits et réalisent des activités en collaboration avec les milieux d'affaires afin d'offrir un service pour lequel les gens paieront. D'autres soumissionnent, comme les sociétés privées, pour l'obtention de contrats gouvernementaux à l'étranger. Bien que ces approches soient souvent innovatrices et dynamiques, elles soulèvent des questions d'éthique sur les valeurs et les principes de l'organisation. Quelle que soit sa stratégie, l'ONG doit sans cesse peser ses actions en regard des valeurs et principes fondamentaux qu'elle défend, afin de demeurer non seulement compatible mais aussi pertinente, afin que l'élan original ne soit pas sacrifié aux besoins de la viabilité organisationnelle.[2]

Les gens peuvent-ils vivre de cette façon? Pour ceux et celles qui dirigent les organisations volontaires et qui y travaillent, il est difficile de supporter les tensions causées par des exigences de plus en plus nombreuses, par la baisse des fonds et par l'insécurité élevée. Beaucoup de leaders et le personnel des programmes demandent quel prix ils doivent payer pour assurer la pertinence et la survie de leur organisation à l'aube du 21e siècle. De la même manière qu'il faut réinventer la transformation sociale, il faut également, cela est clair, concevoir autrement la transformation personnelle et spirituelle devenue nécessaire, pour s'épanouir désormais dans ces organisations.

Leçons apprises en gérant le changement

Collectivement, nous avons appris qu'aucune formule de gestion du changement n'est infaillible. Les approches simples, qui ne tiennent compte que d'un seul facteur, sont habituellement déficientes : le leadership visionnaire, la planification stratégique, les équipes, la gestion de la qualité totale, toutes ces approches sont venues et elles sont passées. Par contre, chacune a donné des résultats à un endroit donné ou à un moment donné. Chacune nous a aidés à mieux comprendre les entités complexes appelées «organisations».

Que conclure de cette expérience? Nous concluons que l'approche idéale tient compte du contexte, qu'elle est déterminée par la situation particulière à laquelle l'organisation fait face et par la somme du bon jugement des personnes qui lui sont associées. À mesure que les conditions changent, les approches et les stratégies doivent être réinventées. Cette réinvention s'appuie sur certaines capacités et orientations de l'organisation.

L'expérience que nous avons acquise au cours des années nous enseigne que les processus organisationnels des ONG doivent tenir compte de la participation qu'elles prônent dans leur programme et dans leur énoncé de mission. Il est important de ne pas paniquer malgré les fortes pressions de l'extérieur qui nous poussent à comprimer les budgets ou à trouver une solution rapide ayant ou non réussi au secteur privé ou aux grandes institutions publiques.

Capacités organisationnelles qui facilitent le changement

1. La capacité d'analyser et d'interpréter, et celle de susciter une compréhension commune du contexte et de la dynamique de son organisation, à l'extérieur comme à l'intérieur. Cela comprend la capacité de prévoir, au sein de l'organisation et à l'extérieur, les réactions probables des individus qui interpréteront le changement en fonction de leurs besoins légitimes de prestige, de sécurité, de satisfaction ou d'influence;

2. La préférence pour les rapports plus étroits avec les membres, les bénévoles, les partenaires, les bailleurs de fonds et les donateurs, et la décision de leur rendre davantage de comptes; trouver les moyens de nourrir ces relations;

3. La disposition à chercher, au-delà des approches rationnelles et planifiées, pour découvrir de nouvelles idées dans les

histoires et témoignages, à partir des intuitions et du savoir local;

4. La capacité manifeste de gérer les conflits et la dynamique du pouvoir, qui va de pair avec le changement organisationnel; et la capacité de considérer le changement comme une possibilité d'apprentissage et comme une cause normale de tension organisationnelle;

5. Comprendre que l'énergie nécessaire pour piloter un changement majeur ne vient pas uniquement du sommet de l'organisation. Les cadres supérieurs et le conseil d'administration doivent faciliter l'initiative en vue du changement et lui laisser assez de liberté pour qu'elle se développe dans d'autres structures et à partir d'autres relations;

6. La disposition à engager du temps et de l'argent dans un processus limité dans le temps mais dont l'aboutissement est imprévisible;

7. Garder une attitude positive face au changement. On trouvera plus d'appui et moins de scepticisme là où il existe beaucoup de confiance et d'ouverture;

8. Se concentrer sur les résultats de notre action. Nos théories sur la transformation sociale sont en retard sur l'évolution des crises mondiales qui nous confrontent; aussi importe-t-il, pour le processus de changement et l'évolution de notre pensée, de garder l'oeil ouvert sur les répercussions de notre travail.

Les organisations qui survivront, et celles qui verront le jour, réussiront parce qu'elles seront pertinentes dans leur milieux, souples, dignes de l'appui public et privé, et parce qu'elles disposeront des principaux éléments exigés pour travailler avec le changement.

Références

1. Schrage, M., *Shared Minds: the New Technologies of Collaboration,* New York, Random House, 1990.

2. Cumming, L., avec la collaboration de Singleton, B., "Organisational Sustainability – An End of the Century Challenge for Canadian Voluntary International Development Organizations", exposé présenté à la onzième conférence annuelle de l'Association canadienne d'études du développement international, Université de Montréal, le 6 juin 1995.

Bibliographie

ACORD, "Operationality in Turbulence: The Need for Change", ébauche d'un document de discussion, novembre, 1992.

Agnocs, C., Burr, C., Somerset, F., *Employment Equity: Co-operative Strategies for Organizational Change*, Scarborough, Prentice Hall, 1992.

Anderson, M., Woodrow, P., Rising from the Ashes: Development Strategies in Times of Disaster, Westview Press, 1989.

Arnold, R., Burke, B., *Le processus de pacification en Amérique centrale : une étude des options des ONG canadiennes*, Ottawa, CCCI, 1989.

Barndt, D., Cristall, F., Marino, D., *Getting There: Producing Photostories with Immigrant Women*, Toronto, Between the Lines, 1982.

Bateson, G., *Steps to an Ecology of Mind*, New York, Ballantine, 1972.

Bateson, G., *Mind and Nature: A Necessary Unity*, New York, Dutton, 1979.

Beaudoux, E., *Cheminement d'une action de développement : de l'identification à l'évaluation*, Paris, L'Harmattan, 1992.

Beckhard, R., *La gestion du changement dans les organisations, un outil pour gérer la transition*, Éditions du renouveau pédagogique, Montréal, 1991.

Benayoun, R., *Entreprises en éveil, technique et cas de maîtrise du changement*, Entreprise moderne d'édition, Paris, 1979.

Bridges, W., *Managing Transitions: Making the Most of Change*, Reading, Addison-Wesley, 1991.

Brodhead, T., Herbert-Copley, B., Lambert, A.-M., *Ponts de l'espoir? Les organisations bénévoles canadiennes et le tiers-monde*, Institut Nord-Sud, Ottawa, 1988.

Bryson, J., *Strategic Planning for Public and Non-Profit Organizations: A Guide to Strengthening and Sustaining Organizational Achievement*, London, Jossey-Bass, 1988.

Buzan, T., *The Mind Map Book*, London, BBC Books, 1993.

Cameron, K., Sutten, R, Whetten, D., *Readings in Organizational Decline: Frameworks, Research and Prescriptions*, Cambridge, Ballinger, 1988.

Carver, J., *Boards that Make a Difference*, San Francisco, Jossey-Bass, 1988.

Chambers, R., *Rural Development: Putting the Last First*, London, Longman, 1983.

Clark, J., *Democratising Development: The Role of Voluntary Organizations*, London, Earthscan, 1991.

Coalition des organisations nationales volontaires, *Taking Voluntarism to the Year 2015*, Ottawa, 1994.

Collerette, P., *Pouvoir, leadership et autorité dans les organisations*, Presses de l'Université du Québec, Sillery, 1991.

Collerette, P., et Delisle, G., *Le changement planifié : une approche pour intervenir dans les systèmes organisationnels*, Éditions Agence d'Arc; c1982.

Cooper, C.L., Mangham I., *T-Groups: A Survey of Research*, Toronto, Wiley, 1971.

Cumming, L., avec la collaboration de Singleton, B., "Organizational Sustainability-An End of the Century Challenge for Voluntary International Development Organizations", exposé présenté à la onzieme conférence annuelle de l'Association canadienne d'études du développement international, Montréal, 1995.

Dinnerstein, D., *The Mermaid and the Minotaur: Sexual Arrangements and Human Malaise*, New York, Harper, 1976.

Drucker, P., *Managing Non-Profit Organizations: Principles and Practices*, New York, Harper, 1990.

École nationale d'administration, Groupe d'étude, de recherche et de formation inernationales, "Réussir une campagne de levée de fonds : séminaire organisé par le GERFI, Québec, ENAP, 1992.

Faure, G., *Structure, organisation et efficacité de l'entreprise*, Dunod, Paris, 1991.

Galbraith, J., Lawler, E. & Associates, *Organizing for the Future: The New Logic for Managing Complex Organizations*, San Francisco, Jossey-Bass, 1993.

Gillen, M., *Religious Women in Transition: A Qualitative Study of Personal Growth and Organizational Change*, thèse de doctorat, Université de Toronto, (OISE), 1980.

Goetz, A., "Gender and Administration", IDS Bulletin, vol. 23, n° 4, 1992.

Goold M., Quinn., J.J., "The Paradox of Strategic Controls", Strategic Management Journal, vol. 11, 1990.

Greiner, L., Schein, V., *Power and Organizational Development: Mobilizing Power to Implement Change*, Reading, Addison-Wesley, 1988.

Habana-Hafner, S., Reed, H., *Partnerships for Community Development*, Amherst, Centre for Organizational and Community Development, Université du Massachusetts, 1989.

Handy, C., *The Gods of Management*, London, Souvenir Press, 1978.

Handy, C., *Understanding Voluntary Organizations*, London, Pelican, 1988.

Handy, C., *The Empty Raincoat*, London, Hutchison, 1994.

Hampden-Turner, C., *Charting the Corporate Mind*, New York, Free Press, 1990.

Hampden-Turner, C., *La culture d'entreprise : des cercles vicieux aux cercles vertueux*, Éditions du Seuil, Paris, 1992.

Harrison, M., *Diagnosing Organizations: Methods, Models and Processes*, 2e éd., Thousand Oaks, Sage, 1994.

Harrison, R., "Understanding Your Organization's Character", Harvard Business Review, mai-juin 1972.

Helgesen, S., *The Web of Inclusion*, New York, Currency-Doubleday, 1995.

Howard, R., *The Learning Imperative: Managing People for Continuous Innovation*, Boston, Harvard Business Review Books, 1993.

Huberman M., Miles, M., *Innovation Up Close*, New York, Plenum, 1984.

Hurst, D., "Of Bubbles, Boxes and Effective Management", Harvard Business Review, mai-juin 1984.

Kanter, R., *The Change Masters: Innovation for Productivity in the American Corporation*, New York, Simon and Schuster, 1984.

Kaufman, H., *Time, Change and Organizations: Natural Selection in a Perilous Environment*, 2e éd., Chatham House, 1991.

Kaye, K., *Workplace Wars and How to End Them*, New York, American Management Association, 1994.

Kelleher, D., Finestone, P. Lowy, A, "Managerial Learning, First Notes from an Unstudied Frontier", *Group and Organizational Studies*, septembre 1986.

Kelly, K., *Out of Control: The Rise of Neo-Biological Civilization*, Reading, Addison-Wesley, 1994.

Kofman, F., Senge P., "Communities of Commitment, The Heart of Learning

Organizations," *Organizational Dynamics*, automne 1993.

Korten, D., *Getting to the 21st Century: Voluntary Action and the Global Agenda*, West Hartford, Kumarian, 1990.

Kotter, J., *A Force for Change: How Leadership Differs from Management*, New York, The Free Press, 1990.

Kotter, J., *Power and Influence*, New York, The Free Press, 1985.

Lafleur, G., "Les organismes de coopération internationale : des ponts de l'espoir?" Nouvelles pratiques sociales, vol. 4, n° 1, printemps 1990.

Lidener, R., "Stretching the Boundaries of Liberal Feminism: Democratic Innovation in a Feminist Organization", *Signs*, vol. 16, n° 2, 1991.

Limerick D., Cunningham, B., *Managing the New Organization, A Blueprint for Networks and Strategic Alliances*, San Francisco, Jossey-Bass, 1993.

Marquardt, R., "Le secteur bénévole et le gouvernement fédéral : une réflexion à la suite du budget de 1995", document de travail préparé pour l'assemblée générale annuelle du CCCI, Ottawa, mai 1995.

Miller, D., *The Icarus Paradox*, New York, Harper, 1990.

Mills, A., Tancred, P., éd., *Gendering Organizational Analysis*, Newbury Park, Sage, 1992.

Mintzberg, H., *The Rise and Fall of Strategic Planning*, New York, Free Press, 1994.

Mohrman, S., Mohrman A., "Organizational Change and Learning" in Galbraith et al., *Organizing for the Future, The New Logic for Managing Complex Organizations*, San Francisco, Jossey-Bass, 1993.

Morgan, G, *Images of Organization*, Beverly Hills, Sage, 1986.

Murphy, B., "Canadian NGOs and the Politics of Participation", in Swift, J., Tomlinson, B., *Conflicts of Interest: Canada and the Third World*, Toronto, Between the Lines, 1991.

Narayan, U. "Working Together Across Difference: Some Considerations on Emotions and Political Practice", Hypatia, vol. 3, n° 2, 1988.

Noer, D. *Healing the Wounds*, San Francisco, Jossey-Bass, 1993.

O'Toole, J., *Vanguard Management: Re-designing the Corporate Future*, New York, Doubleday, 1985.

Pascale, R., *Les risques de l'excellence : la stratégie des conflits constructifs*, InterÉditions, Paris, 1992.

Pearce, J., et al., "The Tenuous Link Between Formal Strategic Planning and Financial Performance", Academy of Mananagement Review, vol. 12, n° 4, 1987.

Pfeiffer, W., Goodstein, L., Nolan, T., *Applied Strategic Planning: A How to Do it Guide*, San Diego, University Associates, 1986.

Phillips, S., "Of Visions and Revisions: The Voluntary Sector Beyond 2000", Bulletin de la Coalition des organisations nationales volontaires, vol. 12, n° 3, hiver 1993.

Porter, M., *Competitive Strategy: Techniques for Analysing Industries and Competitors*, New York, Free Press, 1980.

Prince, G. "Creativity and Learning as Skills, not Talents", The Phillips Exeter Bulletin, juin-juillet et septembre-octobre 1980.

Quinn, J., *Strategies for Change: Logical Incrementalism*, Homewood, Irwin, 1980.

Quinn, R., *Beyond Rational Management*, San Francisco, Jossey-Bass, 1988.

Rashford, N., Coghlan, D., *The Dynamics of Organizational Levels*, Reading, Addison-Westley, 1994.

Rahnema, S., *Organization Structure: A Systemic Approach*, Toronto, McGraw-Hill Ryerson, 1992.

Reddy, B., Jamison, K., *Team Building: Blueprints for Productivity and Satisfaction*, Alexandria, NTL Institute for Applied Behavioural Science, 1988.

Rossum, C., éd., *How to Assess Your Non-Profit Organization with Peter Drucker's Five Most Important Questions*, San Francisco, Jossey-Bass, 1993.

Rothschild, J., Whitt, J., *The Co-operative Workplace*, ASA Rose Monograph Series, Cambridge, Cambridge University Press, 1986.

Sackmann, S., *Cultural Knowledge in Organizations: Exploring the Collective Mind*, Beverly Hills, Sage, 1991.

Saxby, J., "Who Owns the Private Aid Agencies? Mythology ...and Some Awkward Questions." Ébauche d'un chapitre pour une publication du Transnational Institute, Amsterdam, 1995.

Schein, E., *Organizational Culture and Leadership*, 2e éd., San Francisco, Jossey-Bass, 1992.

Schrage, M. *Shared Minds: the New Technologies of Collaboration*, New York, Random House, 1990.

Schutz, W., "The Effects of a T-Group Laboratory on Interpersonal

Behaviour", Journal of Applied Behavioural Science, vol. 2, 1966.

Senge, P., et al., *The Fifth Discipline Fieldbook*, New York, Doubleday, 1994.

Singer, M., Yankey, J., "Organizational Metamorphosis: A Study of Eighteen Non-Profit Mergers, Acquisitions and Consolidations", Non-Profit Mananagement and Leadership, vol. 1, n° 4, été 1991.

Smillie, I., "Le temps est venu de promouvoir de nouvelles formes de coopération entre les ONG et l'ACDI", Ottawa, CCCI, 1991.

Smillie, I., Helmich, H., éd., *Non-Governmental Organizations: Stakeholders for Development*, Paris: Centre de développement de l'OCDE, 1993.

Sow, O., Coulibaly, D., Lankouanade, S., Dounbia, A., Sharp, R., *Réseaux de l'environnement et du développement dans quatre pays du Sahel : Burkina Faso, Mali, Sénégal et Niger*, Londres, IIED, 1992.

Stacey, R., *Managing the Unknowable: Strategic Boundaries Between Order and Chaos in Organizations*, San Francisco, Jossey-Bass, 1992.

Tannen, D., *Talking From 9 to 5*, New York, Morrow, 1994.

Tjosvold, D., *The Conflict-Positive Organization*, Reading, Addison-Wesley, 1991.

Vincent, F., Campbell, P., *Innovations et réseaux dans le développement. Renforcer l'autonomie financière des associations et ONG de développement du tiers-monde*, Genève, 1989.

Wallace, T., March C., éd., *Changing Perceptions: Writings on Gender and Development*, Oxford, Oxfam, 1991.

Watzlawick, P., Weakland, J., Fisch, R., *Change, Principles of Problem Formation and Problem Resolution*, New York, Norton, 1974.

Weisbord, M., *Building Common Ground*, San Francisco, Berret-Koehler, 1993.

Wheatley, M., *Leadership and the New Science*, San Francisco, Berret-Koehler, 1992.

Wildavsky, A., *Speaking Truth to Power: The Art and Craft of Policy Analysis*, Toronto, Little Brown & Co., 1979.

Index